本書について

かつては、子どもの習い事を中心に、クラシック音楽を主体として普及してきたピアノ・レッスンのニーズは、時代とともに多様化してきました。昨今、巷の音楽教室では従来の子ども向けのカリキュラムとは別に、大人向けのレッスンが人気を集めています。個々のニーズにより、クラシックに限らずポップスやジャズなど、音楽ジャンルや演奏スタイルの幅も広がりました。そして、市販の教材やインターネットの豊富なコンテンツにより、教室に通わずとも独学で学ぶ方が増え、誰でも気軽に、ピアノが好きな方、上達を目指す方が自由に、マイペースに練習に励む時代となりました。

この曲が弾けるようになりたい、あのピアニストのようになりたい等、ご自分の目標達成のために、まずは日々の練習課題を明確に把握していただくことが最も大切だと考え、本書を執筆しました。

普段、どんな練習をすればよいかわからない、練習はしているけれど上達に伸び悩んでいる、という初級〜中級レベルの方のためのヒント集として、多岐にわたる課題を網羅しています。

ピアノを演奏する上で欠かせないタッチの技術、楽譜への理解など、クラシック・ピアノを土台にした基礎トレーニングが中心となりますが、どんな演奏スタイルにも応用がきくものです。

苦手分野を克服し、得意分野をさらに伸ばす手助けとして、本書がお役に立てば幸いです。

東いづみ

初中級者のための
苦手意識がなくなる
ピアノ上達練習法

The piano progress exercise law that weak point awareness disappears

❐ 第1章　美しい音色を創る指のトレーニング

❐ 第2章　楽譜に強くなり、演奏力を上げるトレーニング

❐ 第3章　好きな曲を弾くための練習のコツとヒント

第1章

美しい音色を創る
指のトレーニング

Lesson 1

手の基本形を作る

まず最初に、基本の手の形を確認しましょう。肩の力を抜き、リラックスして取り組んでください。

{ 手首が力んでいないか、片手ずつ確かめる }

○手首が平行

×手首が下がる

×手首が上がる

余計な力を入れずに指を自然に丸める、というのが、とりわけクラシックで重視されている正しい手のフォームです。私は生徒さんに、ほわほわの肉まんの上にそっと手をのせる、と説明していますが、とくに小さな子供は喜んで想像力を働かせ、きれいな音でピアノを弾きます。ここでは、もう少しメカニックな説明をしますが、意識し過ぎるとかえって変な癖が付くので気を付けましょう。

まず、上記の一番左の写真を参考に片手を鍵盤に添えてください。手首が平行なのを確認し、もう片方の手で手首を軽く掴みます。次ページの譜例をゆっくり弾きながら、手首の力加減を確かめてください。手首の筋肉が固く膨らんだら、力み過ぎ。鍵盤を鳴らしていても **"手首に力がまったく入っていない状態"** がベストです。

Lesson
1
手の基本形を作る

Lesson 2

音の衰退を操る

音の衰退は、弾き手のタッチの微妙なさじ加減で、いかようにも変化を付けることができます。ピアノの奥深さを感じてみましょう。

{ タッチの加減で音に表情を付ける }

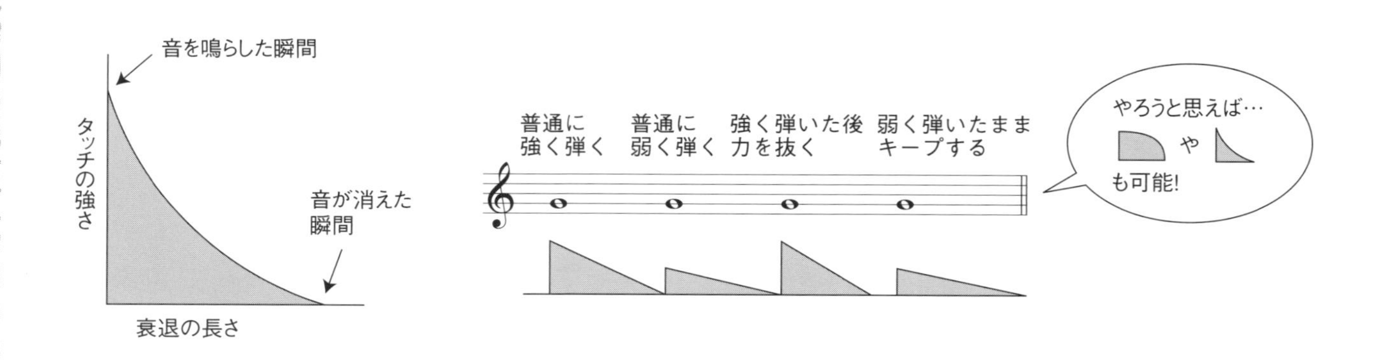

ピアノは鍵盤を鳴らした瞬間から音が衰退します。さらに、弾き手のタッチで衰退レベルを無段階にコントロールすることができます。

この仕組みを単純に考えれば、タッチを弱めれば音の衰退は短く、強めれば長いことになりますが、実際には、タッチが弱くても長い、あるいは強くても短い衰退を操ることも可能です。これには、鍵盤をアタックした瞬間の強さと、**"力の抜き具合"**が深く関わっています。鍵盤を押さえてから指を離すまで、スッと力を抜くか、抜かないままでいるか、加減を変えてみると分かります。

P.7 の楽譜は、タッチの加減で音に様々な表情を付ける練習です。▬ を見ながら音の衰退を弾き分けてみましょう。

Lesson

2

音の衰退を操る

衰退をコントロールする練習

♩=60

強く弾く

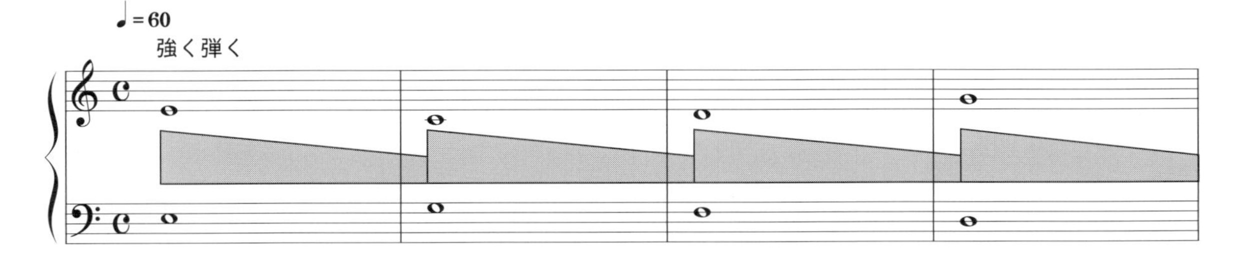

弱く弾く

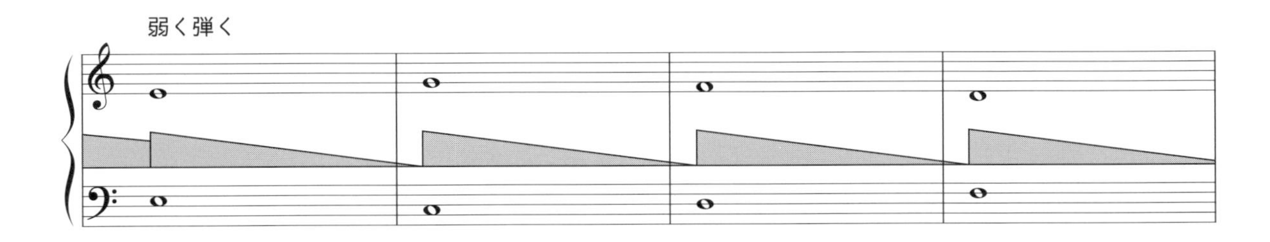

弱く弾いて音をキープ

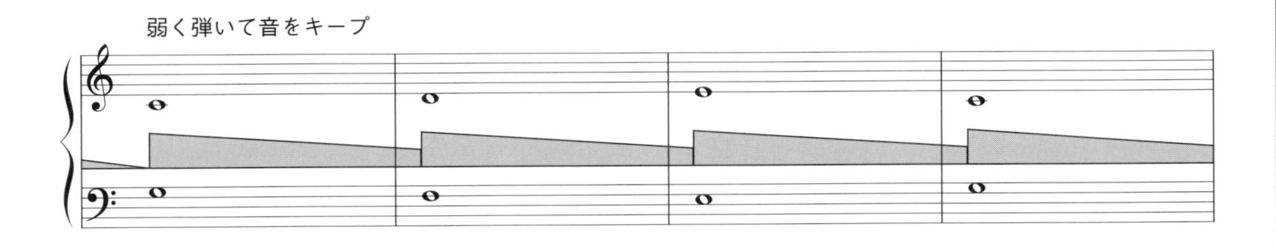

強く弾いて力を抜く

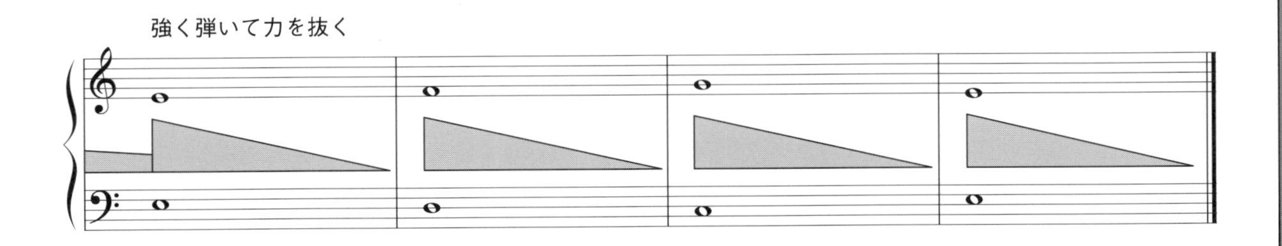

Lesson 3

音の強弱を操る

音の強弱を指示する強弱記号。その種類は限られていますが、実際には無段階に弾き分けることができます。

{ 自分の中のメゾピアノを知っておく }

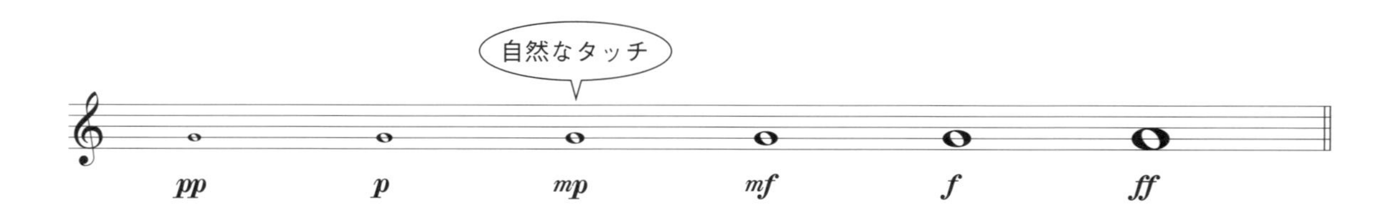

力の強い人と弱い人とで演奏の音量は多少変わりますが、強く弾くか、弱く弾くかは、その人の感性が一番に左右するものです。例えば、フォルティッシモの音を弾いてもらうと、小さな子供の方が大人よりも大きな音で演奏することが多いのです。

自分が一番自然なタッチで弾いたときの強さを、大人の場合はメゾピアノ、子供の場合はメゾフォルテを基準にすると、他の強弱記号の加減をコントロールしやすくなります。
とはいえ、基準はあくまでも基準。大きくても風船のように軽いフォルテ、小さくても鉛のように重く冷たいピアニッシモ、音楽はこんな表現もできるからです。楽譜に書かれた強弱記号よりも、「**どんな音色で表現するか**」を意識することが大切です。

Lesson
3
音の強弱を操る

しゃぼんだま／作曲:中山晋平

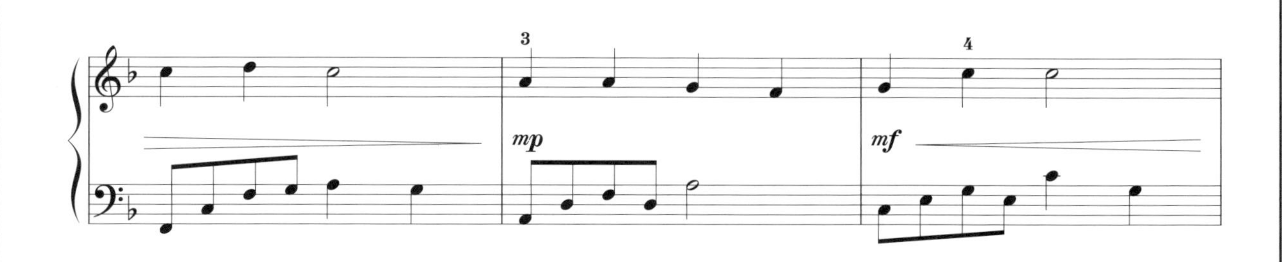

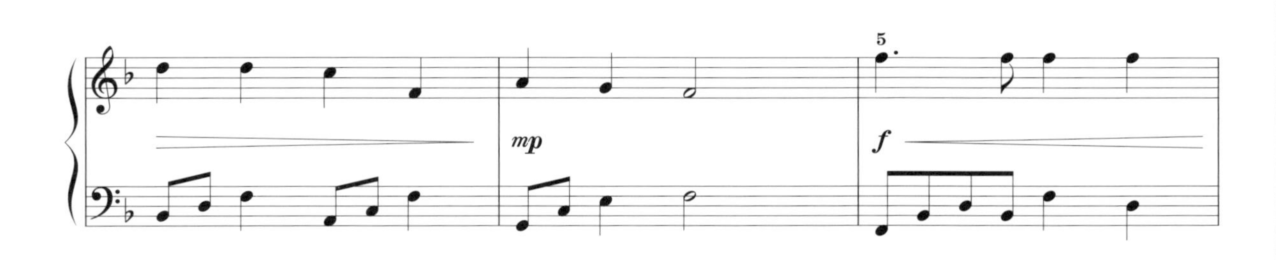

Lesson 4

滑らかに指を運ぶ

楽譜に書かれた運指番号は煩雑に見えて、きちんと理にかなったものです。
ただし、弾きにくければ自分で変えて構いません。

{ フレーズを途切れさせない }

フレーズを一気に弾くようなとき、スムーズな運指は欠かせない

ピアノを演奏する上で、スムーズな運指は欠かせないものです。とくに、細かい同音が続いたり、音が激しく跳躍したり、フレーズが途切れなく続くような場合は、楽譜に示された運指番号の通りに弾くか、示されていなければ一番スムーズに弾ける運指を自分で探ってください。

運指に絶対的な答えはありません。逆に言えば、自分が弾きやすいように好きに考えて良いのです。ただし、楽曲を滑らかに演奏することが目的なので、フレーズがブツブツと途切れないように注意しましょう。

P.11 では、一筋縄ではいかない少々手ごわい運指の典型が盛り込んであります。ここでは指番号を表記していますが、弾きにくければ運指を自分で弾きやすくアレンジしても OK です。

Lesson
4
滑らかに指を運ぶ

運指練習（ハ長調）

♩. = 70

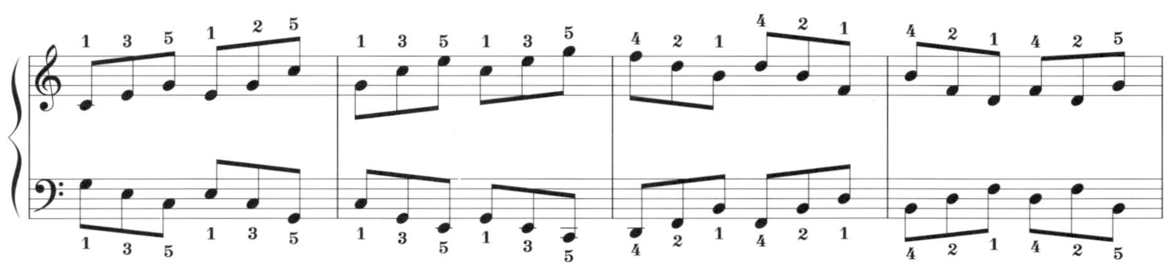

Lesson 5

均等な指を作る

利き手と反対の手、親指側より小指側の指が弾きづらいのは、日常でも使うことが少ないためです。均等な両手 10 本指を目指しましょう。

｛左右対称の動き、両手平行の動きを両得する｝

利き手と反対の手にペンを持って文字を書くことは難しいですし、電気のスイッチを薬指や小指で押す人はいないでしょう。両手 10 本指を使うピアノ演奏では、普段使わない手や指の練習が必要になります。

クラシックの初中級メソッドで有名な『ミクロコスモス』という練習曲集には、両手が同じように動く旋律が多く採り入れられています。一風変わった面白い曲調が多く、最近では指練習で定番の『ハノン』の代用に使う人も増えているようです。

ここでは、ミクロコスモス的な旋律を弾いてみましょう。左右対称の動きから始まり、続いて両手平行の動き、後半は片手で弾いたことを反対の手が後から追いかけるような旋律になります。音の粒が均等になるように弾きましょう。

Lesson
5
均等な指を作る

ぶんぶんぶん／ボヘミア民謡

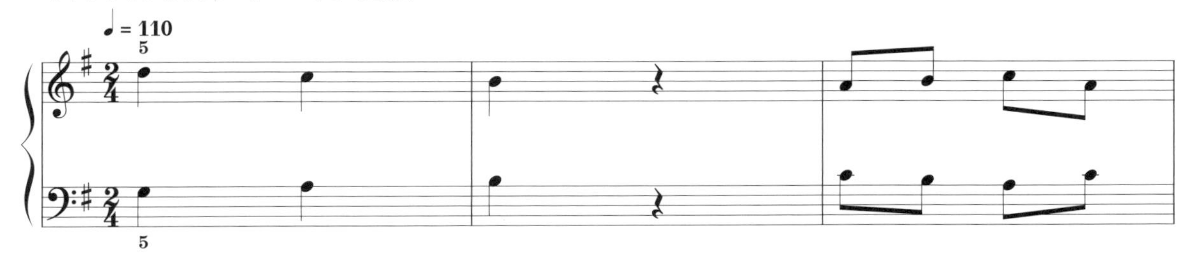

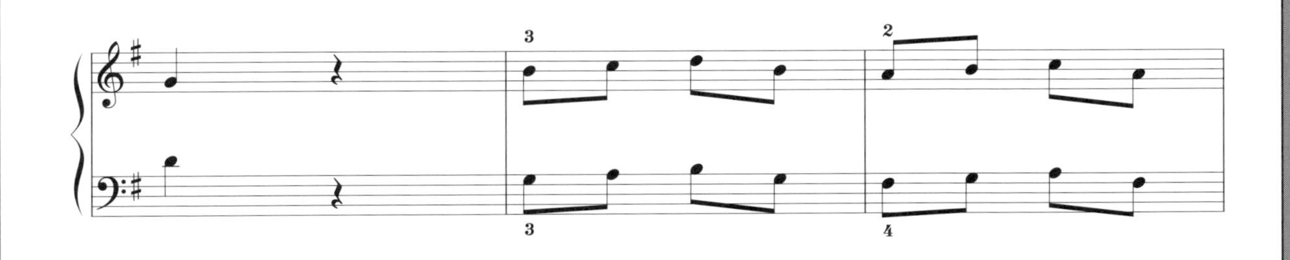

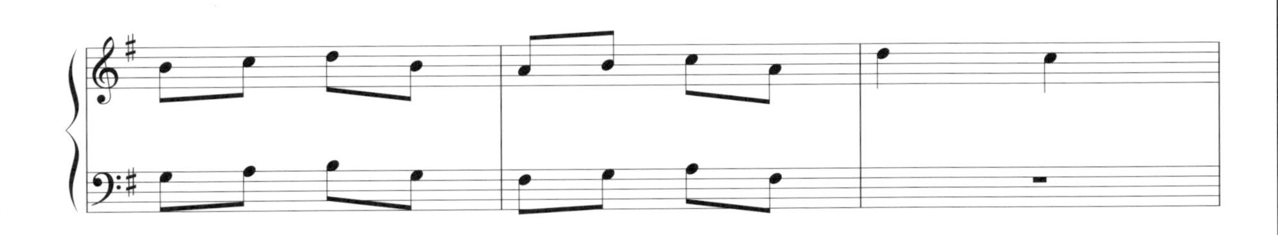

Lesson 6

薬指と小指を強化する

なかなか思うように動いてくれない、薬指と小指。日常で独立して動かすことが圧倒的に少ない分、別の訓練が必要です。

{ つらない程度に練習する }

本当はタブーとされていますが、私は初めてピアノを学ぶ生徒さんの初回のレッスンのみ「片手1本指奏法」で弾いてもらっています。片手の1本指と言うと、みなさん間違いなく利き手の人差指を使いますが、普段から使い慣れている指は、とくに訓練をしなくとも動かせるので、簡単に感じられるのです。ところが、普段、**“独立して動かすことのない薬指や小指”**を使い始めたとたんに、ピアノは難しくなります。

これを克服するために、ここでは、薬指と小指に特化したトレーニングを紹介しますが、普段から使い慣れていない指を使うと、変な力が入るので気を付けてください。無駄な力を入れないことを心掛けましょう。あくまで両手の10本指が均等に使えるようになることが目的です。

Lesson

6

薬指と小指を強化する

運指練習（ハ長調）

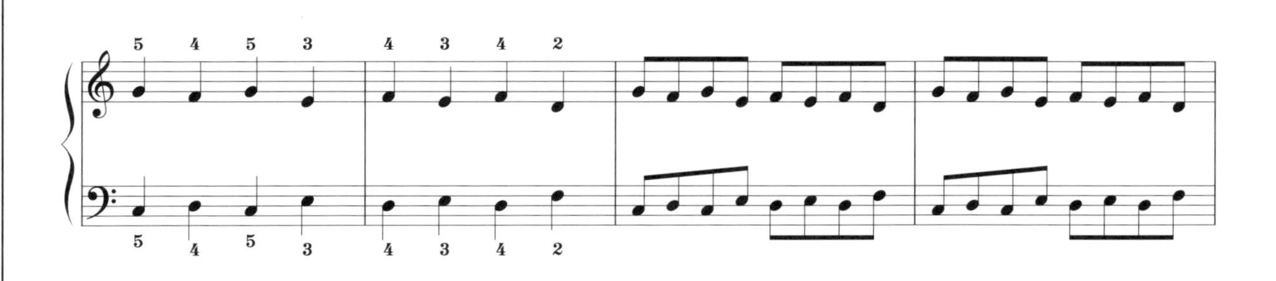

Lesson 7

独立した左手を作る

左手の練習をおざなりにしたままでは、演奏レベルをいつまでも上げていくことができません。独立した左手を作りましょう。

{ 左手でメロディを弾いてみる }

ちょうちょう／スペイン民謡

右手と同じように弾けますか？

右手でメロディを弾き、左手が伴奏を受け持つ楽曲は多いですが、分散和音を両手で弾くドビュッシーの『アラベスク第１番』や、左手の細かいパッセージが続くショパンの『革命』のように、右手と均衡のとれた左手なくしては完成しない楽曲も多くあります。

もし、弾きたい曲の左手が難しいと感じたら、漠然と思い過ごさずに難しく感じる理由を考えてみましょう。音が飛ぶから難しい、速いから難しい、など原因が分かればどんな練習をすれば良いかが見えてくるはずです。

ここでは左手でメロディを、右手で伴奏を弾く練習をします。つっかかる場所があったらそれがあなたの課題です。他ページのレッスンの右手フレーズを、左手で弾いてみる練習もオススメです。

Lesson
7
独立した左手を作る

大きな栗の木の下で／イギリス民謡

Lesson 8

柔軟に開く指を作る

ピアノは指の長さよりも、指の柔らかさが大事です。手が小さく不利だと感じる人はとくに、指を拡げるストレッチをしましょう。

｛長い指よりも開く指が大事！｝

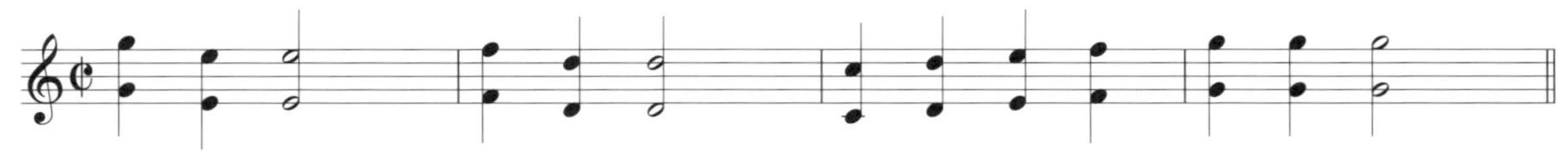

音域の広い和音を一度に押さえるようなとき、手が大きく指の長い人は有利です。しかし、手が小さく指が短い人でも、指が開きさえすれば、押さえられないことはありません。指を長くすることはできませんが、拡げることはできるのです。

よく、ギタリストはギターのフレット（弦を指で押さえるところ）を広い範囲で押さえることができるように、左手の指を拡げるストレッチをします。そのため、指をぱかっと開いたときに、左手が右手よりも開く人が多くいます。

ピアニストは両手ともバランス良く開く方が良いので、ここでは、両手共に拡げるストレッチのような譜例を弾いてみましょう。

Lesson

8

柔軟に開く指を作る

指を拡げるストレッチ

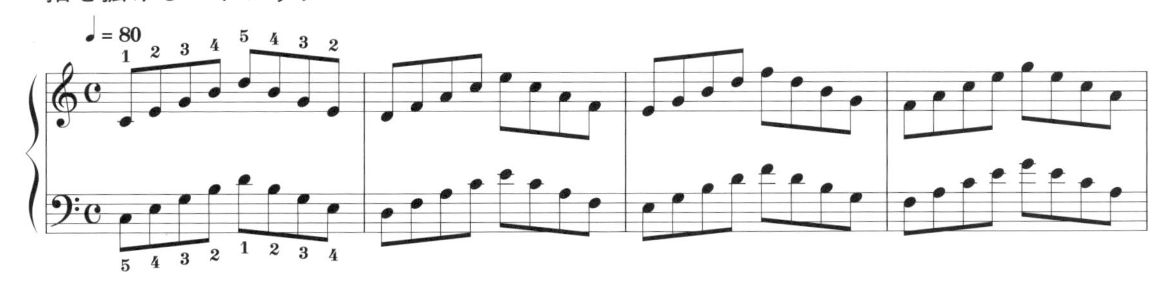

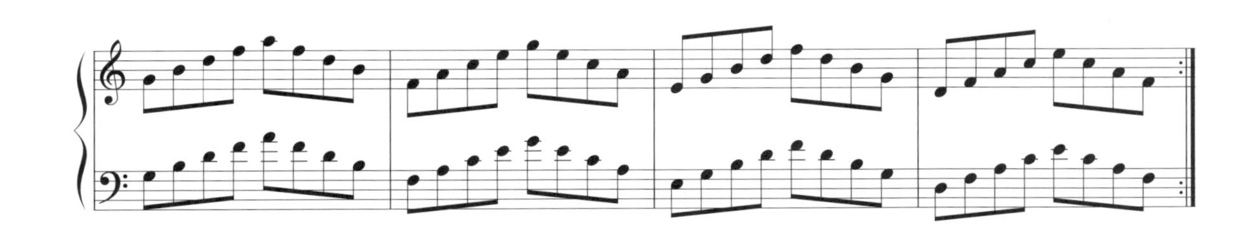

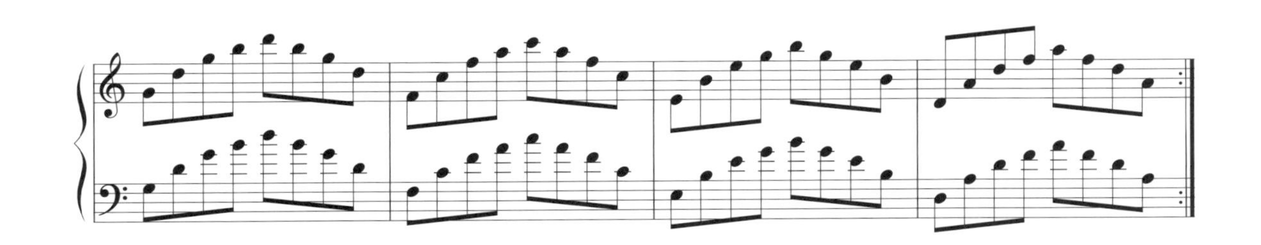

Lesson 9

音の跳躍に強くなる

オクターブ以上鍵盤が離れた音を続けて弾いても、音色が乱れないように手首ごとポジションを移動させる感覚を掴みましょう。

{ 手首で次のポジションへ誘導する }

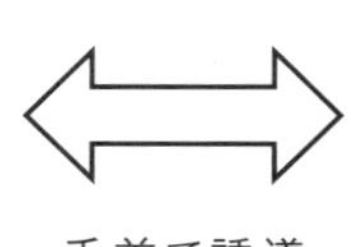

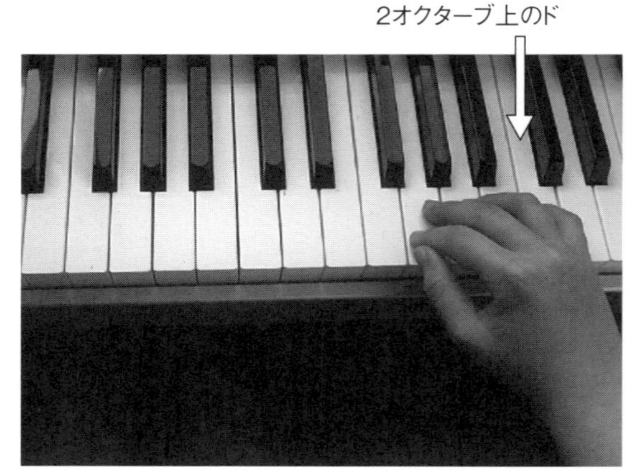

ピアノには88個もの鍵盤がありますが、小柄な体型の人でも両腕を拡げれば、端から端まで軽々と届きます。音がいくら飛ぼうとも、腕さえスムーズに移動できれば、難しいことはありません。

コツは、次のポジションへ移動するときに“**手首で指を誘導する**”ことです。例えば、右手の親指で中央のドを弾き、すぐ後に2オクターブ上のドを小指で弾いて、また中央のドに戻るとします。このとき、手の形を崩さずに、肘を軸にして肘から先を振り子のように動かすことになりますが、動かす起点となるのは、あくまで手首です。鞭がしなるようなイメージが近くなります。決して、指を開いた状態で次の音をスタンバイしたり、脇を開いて腕を移動させないようにしてください。

Lesson
9
音の跳躍に強くなる

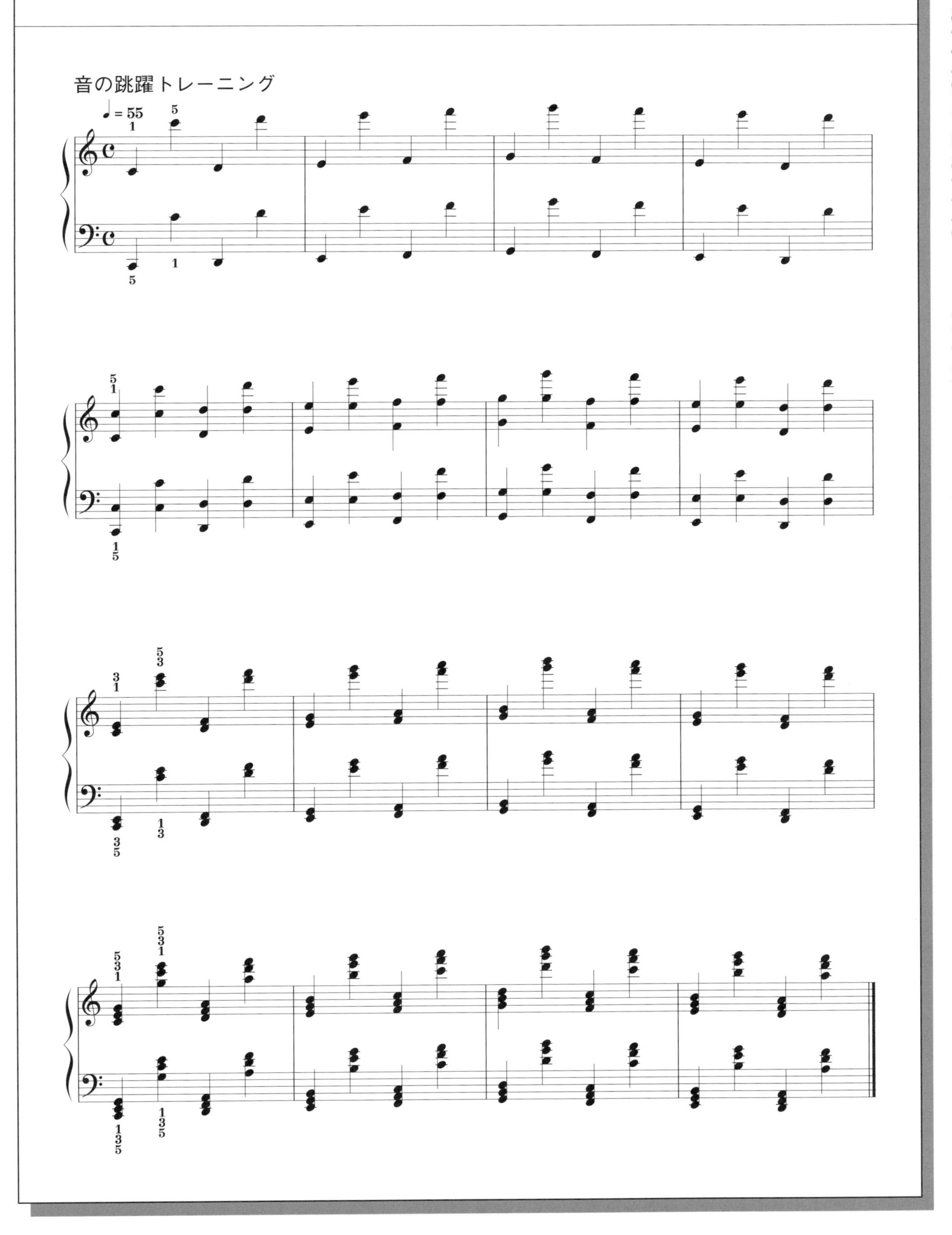

Lesson 10

指を速く動かす

指を速く動かそうとすると力が入りがちになりますが、本当はその逆。力をできるだけ抜く方が指は速く動かせるのです。

{ フレーズの一塊をワンアクションで弾く }

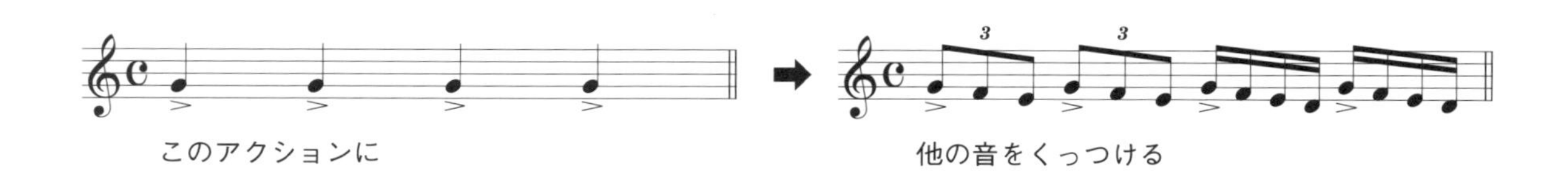

太鼓を高速連打するテクニックを「ロール」と言いますが、あの仕組みは、スティックが打面をヒットした瞬間のリバウンドを利用して、１打のアクションで２打叩き、これを左右交互に繰り返しています。つまり、手を動かす回数は、実際に聴こえる音の半分です。

ピアノも“**1音分のアクションで複数の音を鳴らす**”ことが可能です。言い方を変えれば速く弾くのに余計な力は要らないのです。細かいフレーズ は、拍や小節単位で捉えましょう。

次ページでは、随所にアクセントを付けています。アクセントの音が１つのメロディに聴こえるように意識して弾いてください。おのずと力の抜き具合が見えてくるはずです。

Lesson

10

指を速く動かす

Lesson 11

スラーを意識する

ピアノの演奏は、イメージの持ち方１つでグンと上手く聴こえます。楽譜をただ鍵盤でなぞるだけが演奏ではありません。

{ スラーを意識すれば自然に上手く聴こえる }

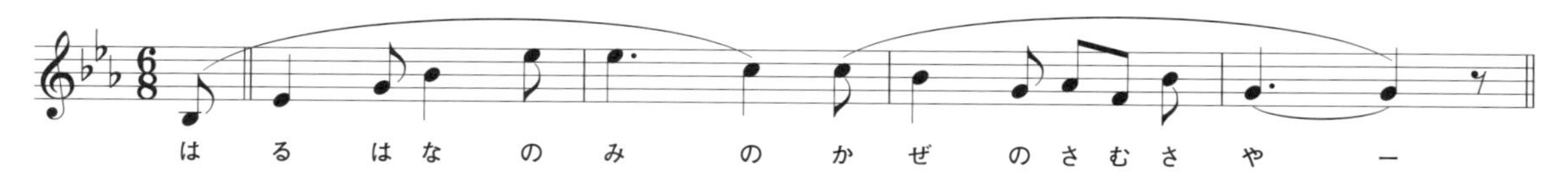

音と音が途切れないように滑らかに演奏することを“**レガート奏法**”と言いますが、楽譜の記号ではスラー（⌒）が使われます。スラーで括られた一続きの音符をレガートで弾くことは、歌を歌う感覚と同じです。例えば、有名な唱歌『早春賦』の歌い出しは「♪春は名のみの～（v）風の寒さや～（v）」と息継ぎ（ブレス）を二回入れるのが自然です。逆に言えば、他の位置で息継ぎをしたら不自然ということです。

ピアノでも、スラーを意識してフレーズの塊を“一息”で演奏します。山を描くようなイメージを持つと良いでしょう。楽譜にスラーが書かれていなくても、自分でフレーズの山を考えて弾くようにしてください。演奏が一段と上手く聴こえます。

Lesson

11

スラーを意識する

早春賦／作曲:中田 章

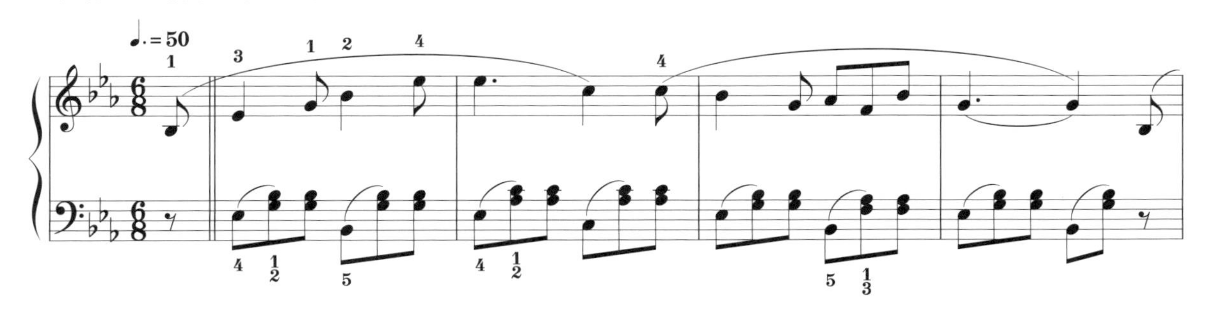

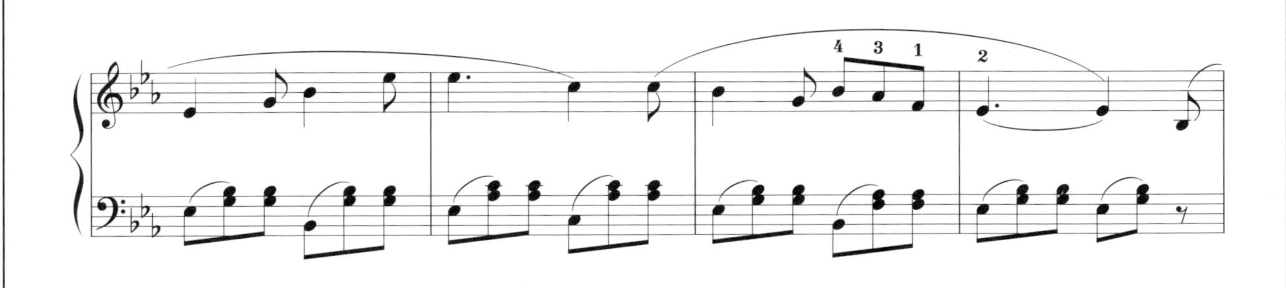

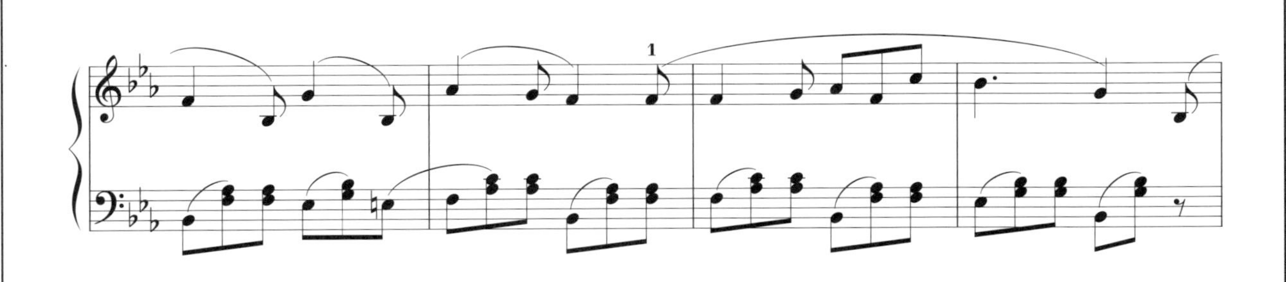

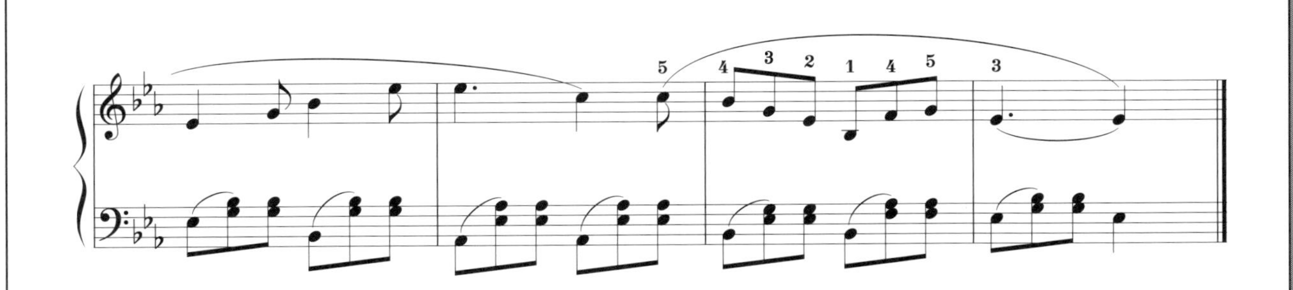

Lesson 12

アクセントを弾く

力任せにアクセントを弾くと、演奏している音楽が音楽的ではなくなります。
音楽的な“音の強調”を心掛けましょう。

{ 特定の音をめがけて瞬間的に打つ }

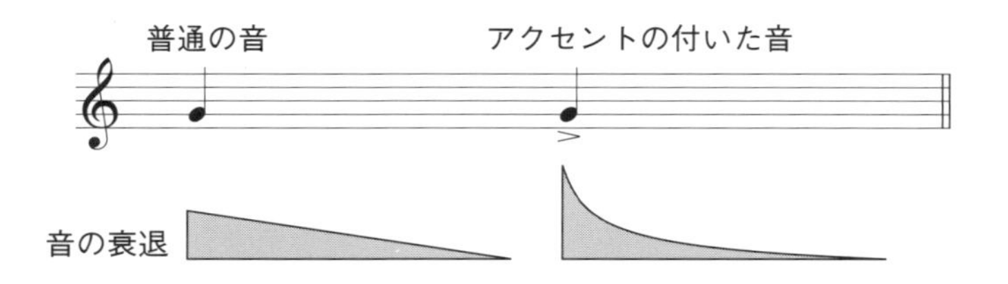

楽譜上で特定の音を強く弾くときは、アクセント（>、∧）が用いられますが、同じような記号は他にスフォルツァンド＝ *sf* やスフォルツァート＝ *sfz*、フォルツァート＝ *fz* があり、後になるほど強調の度合いが上がります。

アクセントのイメージを上図で確認してください。山型のイラストで音の衰退を表していますが、アタックの瞬間は強く、直後にスッと力を抜いています。

野球でボールを強く打とうと思えば、バットを素早く振ることになりますが、ボールをヒットする瞬間に最速のスピードが出ています。ピアノも鍵盤をカーン！　と瞬間的に打つ（鳴らす）イメージです（指は鍵盤から離しません）。力任せではない感覚を掴みましょう。

Lesson 12
アクセントを弾く

かっこうワルツ／作曲:ヨナッソン

Lesson 13

スタッカートを弾く

特定の音の奏法を変える記号の代表的な物にスタッカートがありますが、上手く弾くにはちゃんとしたコツがあります。

{"弾む"というより"跳ねる"}

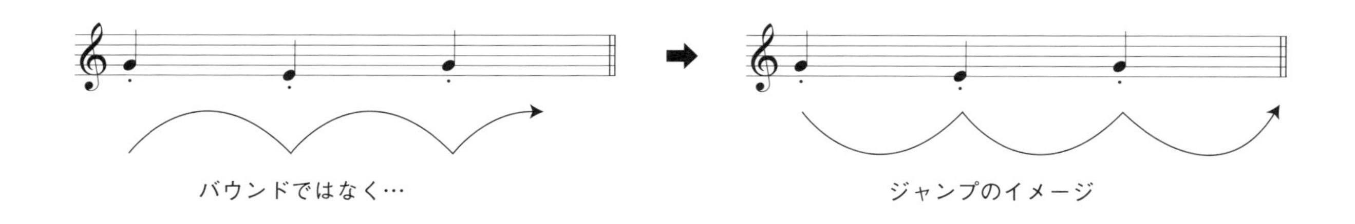

音を短く切って弾むように演奏するスタッカート（♩）は、クラシックに限らず様々な楽譜で頻繁に目にする記号です。楽典の本では厳密に"付いている音符の半分の長さが目安"などと説明していることもありますが、それよりも重要なのは"スタッカート感を出す"こと。つまり**"音を弾ませる"**ことです。

弾ませるというと、ボールが地面でバウンドするようなイメージが浮かびますが、人間の指はボールと違って上から落ちても弾みません。体を弾ませるには、地面からジャンプするわけですが、スタッカートは、どちらとか言えばこのジャンプの動きです。最初、指が空中に浮いている状態から鍵盤へ振り落とすのではなく、指が鍵盤に着いている状態からジャンプ＝跳ねてみてください。

Lesson 13
スタッカートを弾く

Lesson 14

テヌートを弾く

簡単そうに見えて、弾いてみると意外に難しいのがテヌートです。“長さを充分に伸ばす”とは、一体どういうことでしょうか？

｛音をできるだけ衰退させない｝

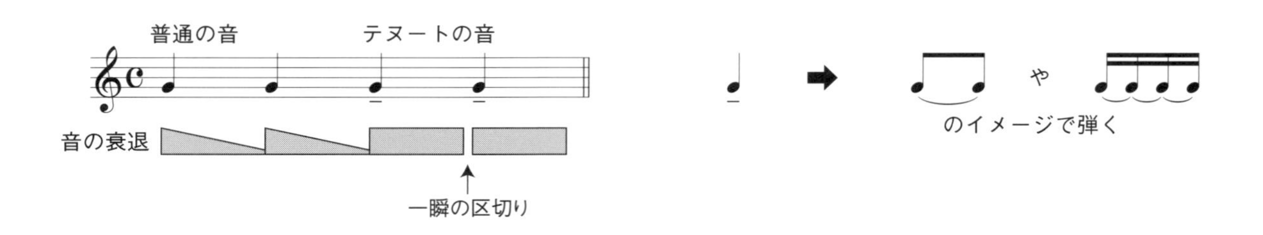

音符の長さを充分に伸ばすテヌート（ ♩ ）は、前項のスタッカートと対の記号として説明されることが多いですが、反対と言われてすっきり理解できるほど単純ではありません。両者はあまり関連付けて覚えない方が良いでしょう。

まず、テヌートは音をほとんど衰退させません。つまり、鍵盤をアタックしてから指を離すまで、同じ音の状態を持続させることになります。音の持続感覚を掴むには、実際の音を分割した音符（4分音符なら8分音符2つや16分音符4つ）がタイで繋がっているイメージを持つと分かりやすいでしょう。

注意点は、次の音まで前の音を伸ばし過ぎて音が重複しないようにすることです。隣接する音と音に一瞬の区切りを入れた方が“テヌート感”が出ます。

Lesson
14
テヌートを弾く

Lesson 15

ペダルを踏む

ダンパーペダルのサスティンは、演奏者よりも周りで聴いている人の方が耳に付きます。踏み過ぎに注意してください。

{ 踏み方と踏むタイミングを心得ておく }

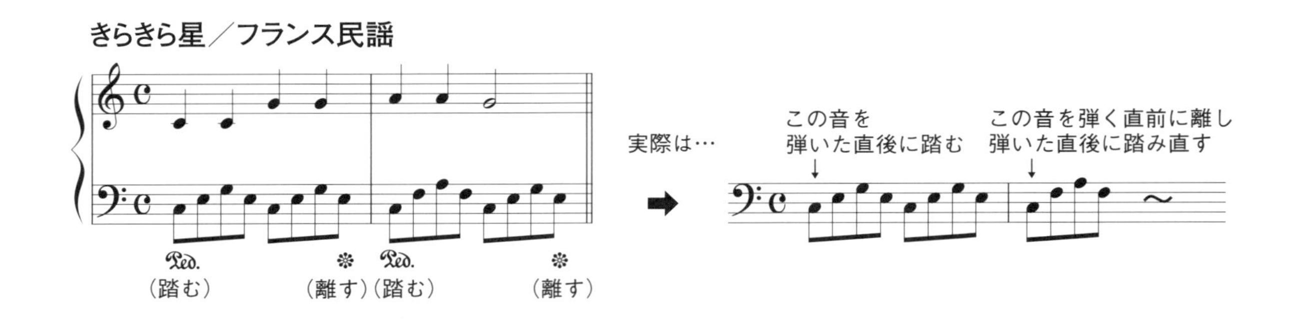

ピアノを始めたばかりの小さな子供がとくにそうですが、ときどき、必要以上にダンパーペダルを踏みたがる人がいます。弾いた音にサスティン（音の伸び）が付くので、心地良く感じるのですね。しかし、ペダルはあくまで効果的に使うものなので、踏みっぱなしでは音が濁ってしまいます。実はこれ、演奏している本人は気付かず、そばで聴いている人の方が不快に感じることが多いのです。

まず、ペダルを踏むときの足ですが、かかとを床に付けてツマ先でペダルを沈めます。離すときはかかとを付けたままツマ先を浮かせます。

踏むタイミングは、鍵盤を弾いた直後に踏み、次の音を弾く直前に離します。こうしないと音がうまく響きません。また、両手共に休符の箇所では音の余韻が残らないよう、必ずツマ先を浮かしてください。

Lesson

15

ペダルを踏む

エリーゼのために／作曲:ベートーヴェン

Lesson 16

休符を意識する

休符は音楽の一部です。ただ休むのではなく、音は鳴らさないけれど“演奏”している感覚を持つことが大切です。

{ 休符の存在感を出す }

ユーモレスク第7番／作曲:ドボルザーク

細かいフレーズが休みなく続くような楽曲は確かに難しいですが、休符だらけの曲もまた難しいものです。上記の譜例はドボルザークの代表作の１つ『ユーモレスク第７番』の冒頭です。旋律の合間に入る 32 分休符なくしては、この曲らしさが台無しになってしまいます。

休符は文字通り「休み」を表すものですが、その効果は計り知れません。拍の頭に一瞬入ってリズムを変化させたり、片手をしばらく休止させて、もう片方の手だけにメロディを歌わせたり、音楽を彩る上で欠かせないものです。

ピアノを演奏するときは、休符を意識するかしないかで表現に雲泥の差が出ます。とくに、休符が細切れに入るときは要注意。休符の存在感をはっきりと出すように心掛けましょう。

Lesson
16
休符を意識する

ユーモレスク／ドヴォルザーク

♪=90

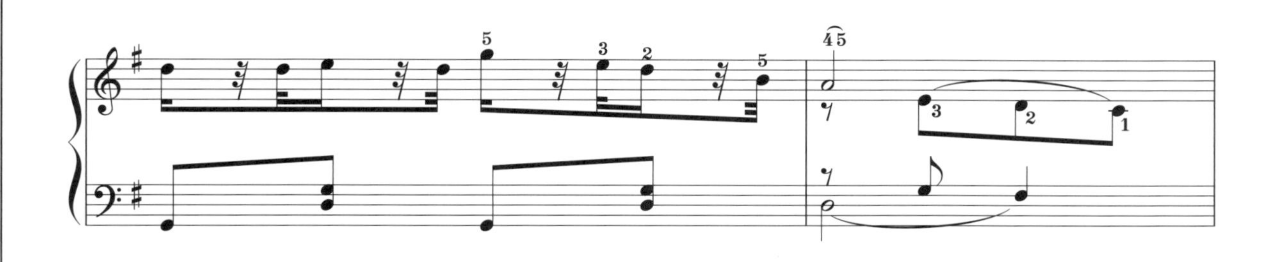

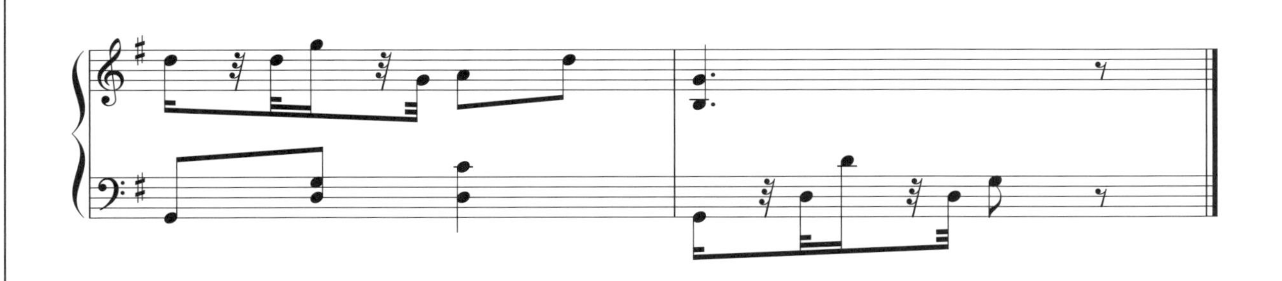

column
練習を楽しく続けるために

1. 練習日記を付けよう

ピアノの上達に最も大切なことは、少ない時間でもできるだけ毎日練習を続けることです。練習を楽しく継続させていくためのアイデアの一つとして、日記を付けてみる方法があります。

「日記なんて三日坊主になるので続けられないよ」という声が聞こえてきそうですが、ピアノの練習こそ、三日坊主になってしまっては本末転倒です。

毎日５分、10分でもピアノに触れたら、どんな練習をしたか、何ができるようになったか、あるいは何ができなかったか、たった一言でも良いので手帳やノートに記しておきましょう。

この癖を付けておけば、練習の課題が明確になるだけでなく、日記を続けることで上達の形跡が残せるため、「あのときに比べてこんなに上達したんだ」と自信を持つこともできます。

インターネットのブログやSNSを利用して、練習模様を他の人に公開する方法も、意識が高まって良いかもしれませんね。

第2章

楽譜に強くなり、演奏力を上げるトレーニング

Lesson 17

読譜スピードを上げる

楽譜をスラスラと読めるようになれば、練習の効率はグンと上がります。読譜が苦手な人には記譜の練習をオススメします。

{ 書いて覚えると早く読めるようになる }

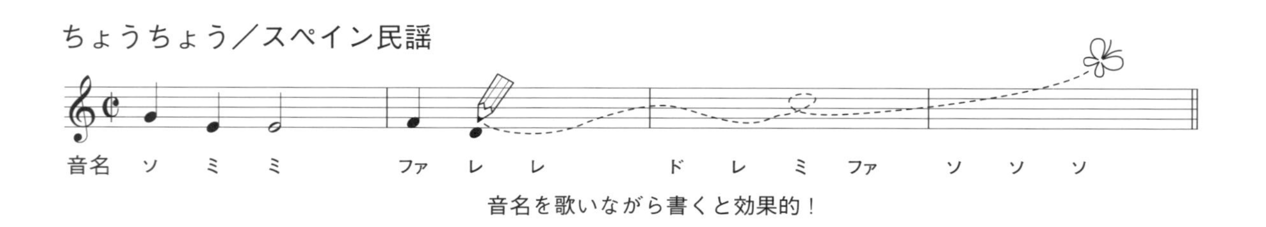

読譜のスピードは **"読んだ量"** に比例します。楽譜を初見でスラスラと読める人は、読んできた量が圧倒的に多い、ということになります。読む量を増やせば、おのずと読譜力は上がります。しかし、それも時間のかかることです。

そこで、考え方を１つ身に付けてみましょう。それは、**"書けるものは読める"** ということ。これは、日本語の漢字も同じで、読めない漢字は同時に書けないものです（中には「薔薇（ばら）」「檸檬（れもん）」など読めてもなかなか書けない漢字もありますが）。しかし、書けるものはいとも簡単に読めるもの。

記譜をマスターしておくことは、結果的に読譜のスピードアップに繋がります。次ページの楽譜に記された音を下段の五線に書き写してみましょう。音名を歌いながら書くと効果的です。

Lesson
17
読譜スピードを上げる

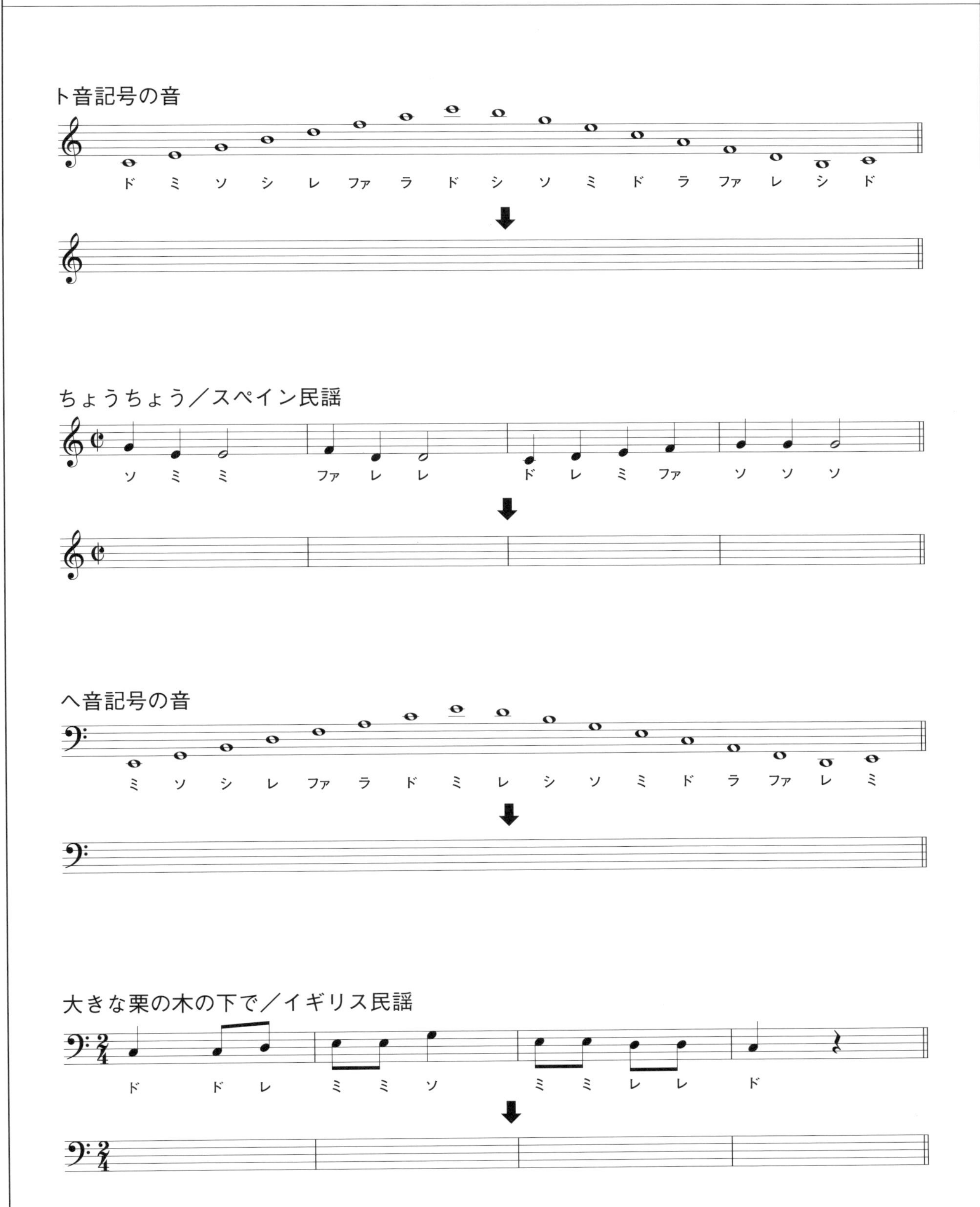

Lesson 18

指と楽譜を一致させる

鍵盤を見ないでピアノを弾けるようになると、上達は早くなります。目で追うのが楽譜だけになれば、時間が短縮できるからです。

｛鍵盤は指に任せ、視線は楽譜に注ぐ｝

ちょうちょう／スペイン民謡

ブラインドタッチで弾きましょう

ピアノの熟練者は鍵盤を見ずに楽譜を目で追いながら、リアルタイムに演奏することができます。なぜ、そんなことが可能なのかというと、読譜が瞬時にできると同時に、両手の指が鍵盤を記憶しているからです。

この“指と楽譜を一致させる作業”は、パソコンのタイピングになぞらえて考えることができます。キーボードを見ずにモニターを注視して文字を入力することをブラインドタッチと言いますが、キーの位置を指が把握しているため、手元をいちいち確認する手間が省け、作業のスピードが格段と上がるわけですね。

今日からピアノもブラインドタッチに切り替えましょう。集中すべき作業が楽譜を追うことだけになれば、弾きたい曲は確実に早く弾けるようになります。

Lesson

18

指と楽譜を一致させる

音階練習（ハ長調）

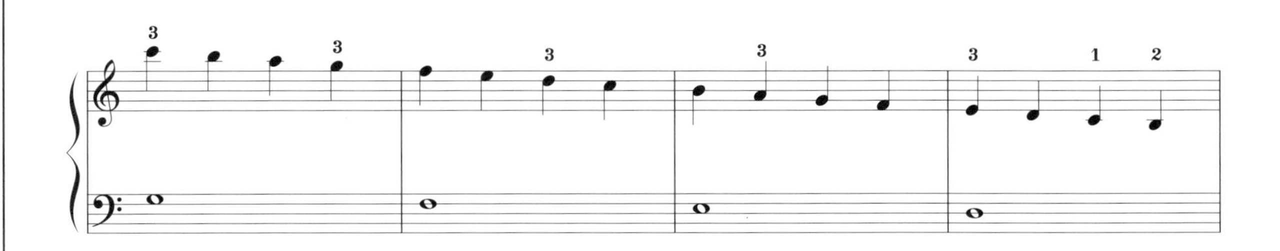

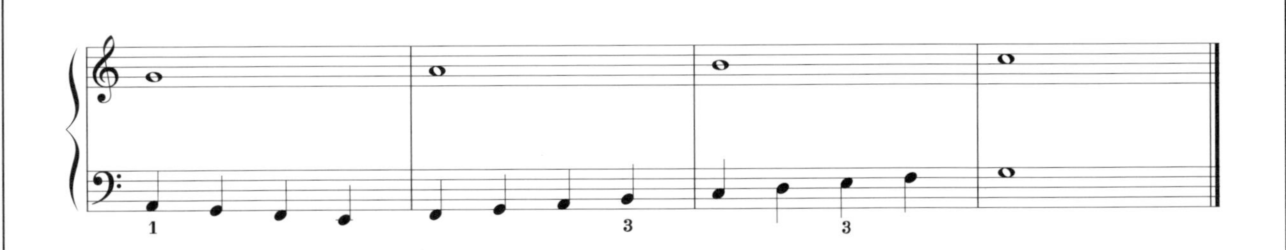

Lesson 19

読譜力と音感を同時に鍛える

指と楽譜を一致させていく過程で頼りになるのは耳。楽器演奏に必要な音感を養いながら読譜のスピードを上げていきましょう。

{ 相対音感を身に付ける }

ちょうちょう／スペイン民謡

聴いた音が何の音か、音名が瞬時に分かる能力を「**絶対音感**」と言いますが、身に付くのは聴覚が発達段階にある6歳くらいまでと言われています。ある程度成長してからは、階名（どんなキーもハ長調に置き換えた音の名前）で音を判断する「**相対音感**」を鍛えることになります。

例えば、ト長調で演奏された『ちょうちょう』が「レシシードララー」と聴こえるのが絶対音感、「ソミミーファレレー」とハ長調で聴こえるのが相対音感です。しかし、基準の音が「ト長調＝ソ」だと分かれば、相対音感でも「レシシードララー」と原曲と同じ調で読み替えることができます。
P.43～は、相対音感を鍛えるためにハ長調の音をいろいろな音程で弾く練習です。音名を声に出して歌いながら弾くと効果的です。

Lesson *19-1*
読譜力と音感を同時に鍛える

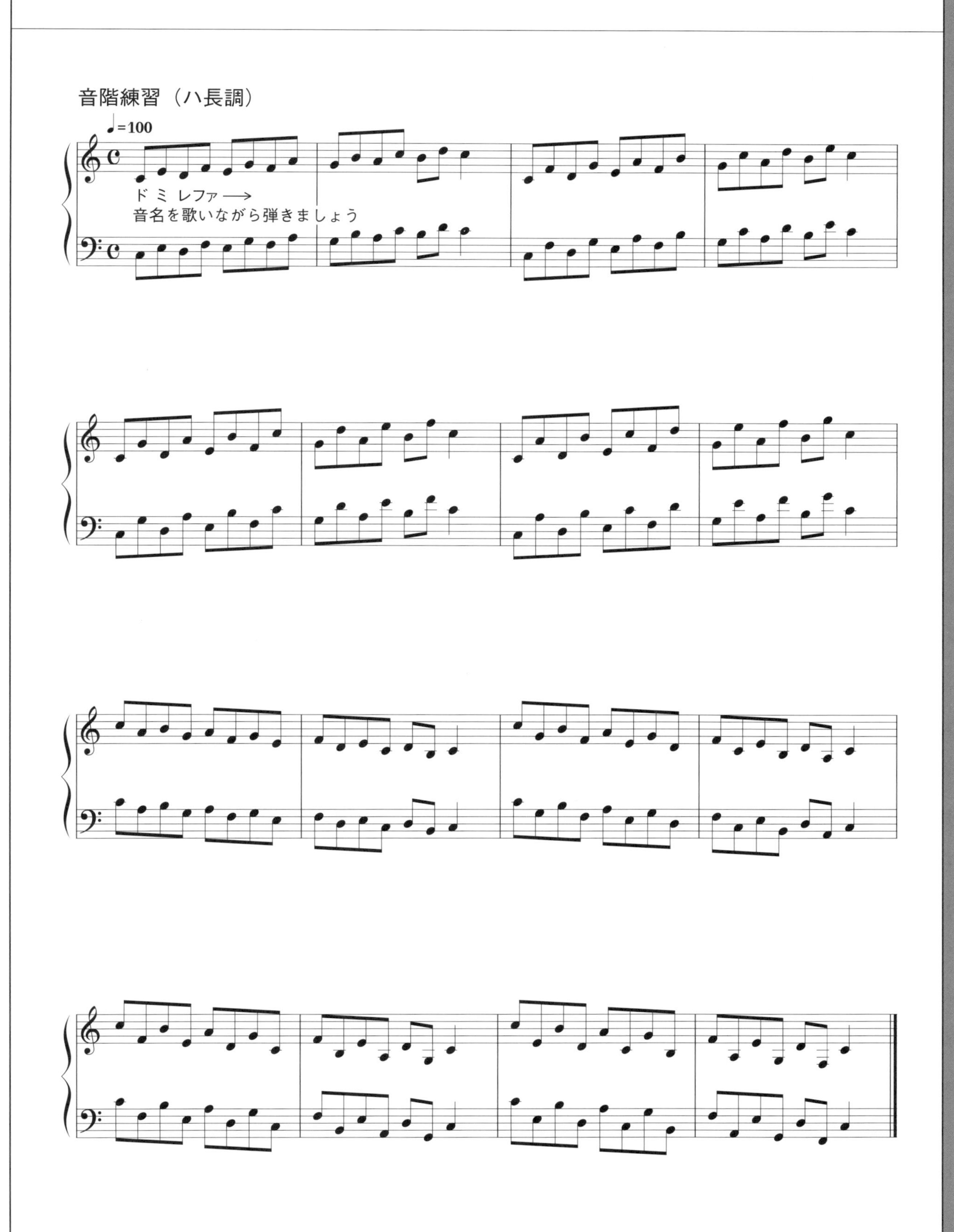

Lesson

19-2

読譜力と音感を同時に鍛える

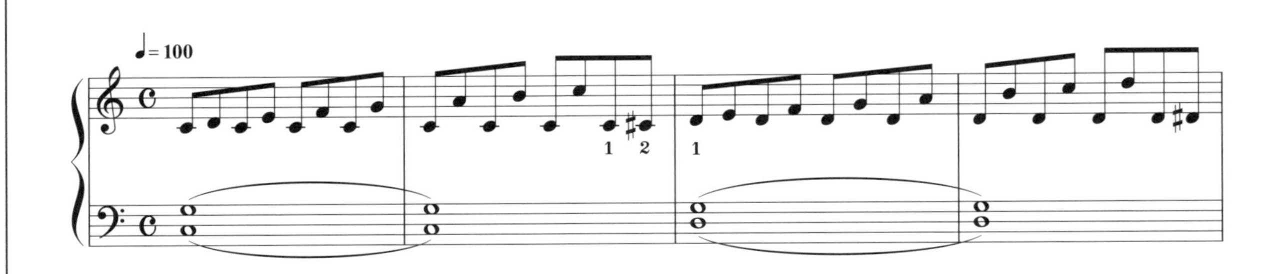

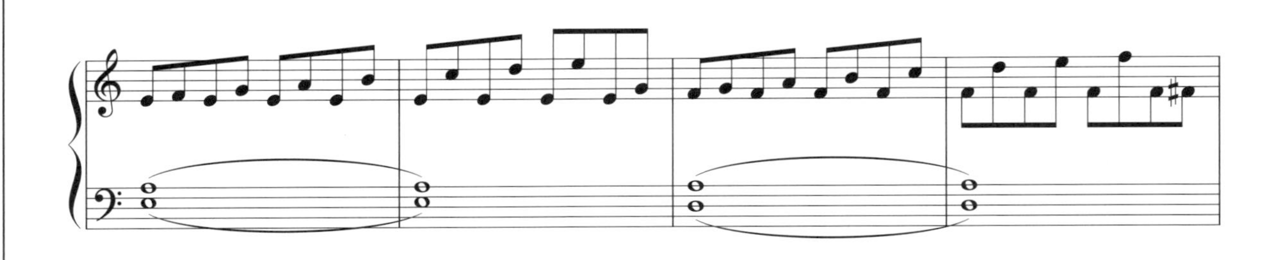

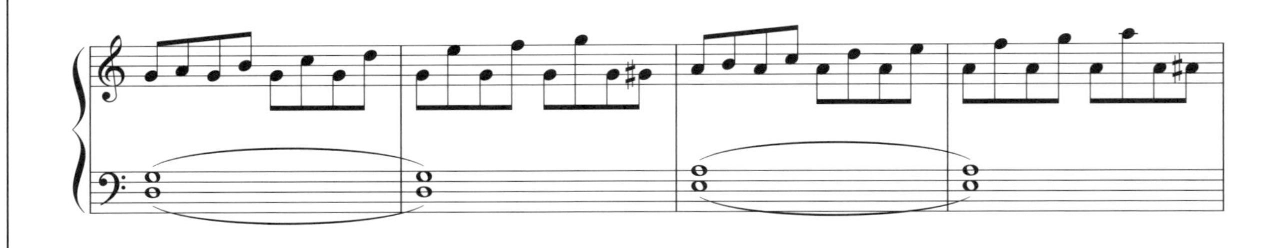

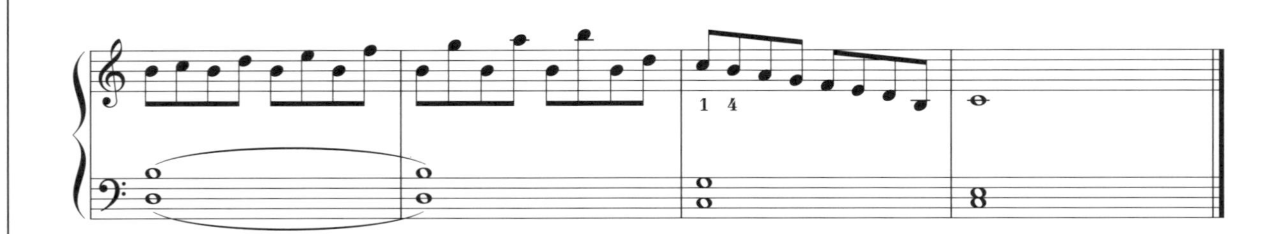

Lesson
19-3
読譜力と音感を同時に鍛える

Lesson 20

音部記号を瞬時に読み替える

ト音記号との読み方の違いに手間取る、ヘ音記号の五線譜。一番望ましいのはト音記号と同時に慣れていくことです。

{ 読み替えながら同時に慣れる }

ちょうちょう／スペイン民謡

ピアノの楽譜には、右手をト音記号、左手をヘ音記号の五線譜に振り分けた、上下二段の「大譜表（だいふひょう）」が用いられますが、ト音記号は読めるけどヘ音記号が苦手だという人は少なくありません。その理由は概ね、両者を別々に覚えてきたためでしょう。今は子供向けの教本でも２種類の音部記号を同時に覚えていく仕組みのものが増えました。一度に覚えることが増える分、最初は難しく感じますが、結果的には関連付けながら同時に覚える方が圧倒的に早く楽譜に慣れることができます。

関連付けのネックとなるのは「中央のド」です。この音を目安に、ト音記号とヘ音記号の読み替えを練習しましょう。

Lesson
20-1
音部記号を瞬時に読み替える

音階練習（ト長調）

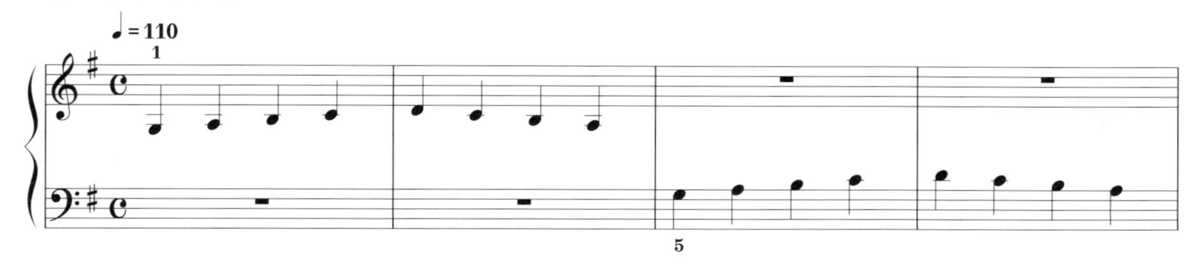

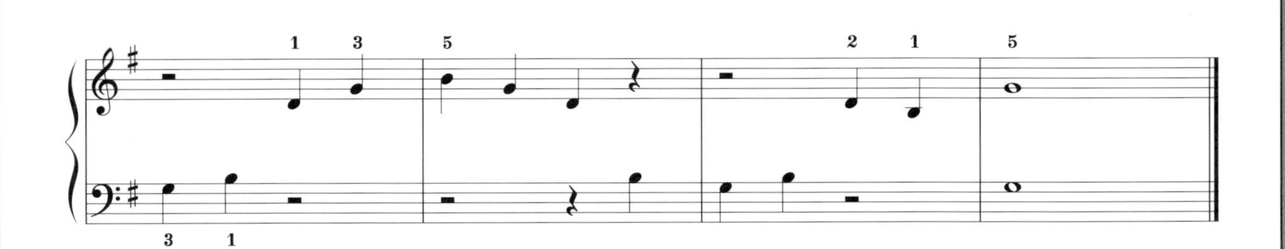

Lesson

20-2

音部記号を瞬時に読み替える

音階練習（へ長調）

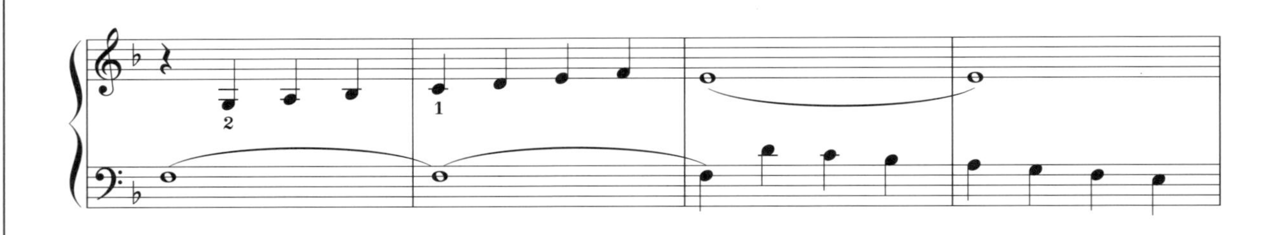

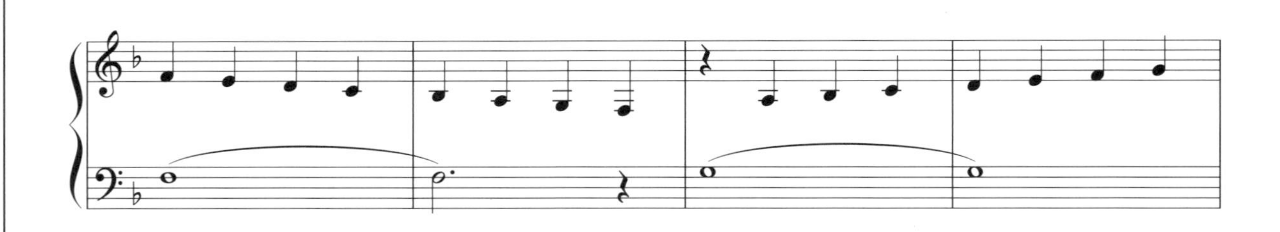

Lesson

20-3

音部記号を瞬時に読み替える

音階練習（イ短調）

Lesson 21

大譜表を縦に読む

左右の手で別々のことをやらなきゃいけない、と強く思い込み過ぎると、ピアノはかえって弾けなくなります。同時に演奏していくコツがあります。

{ 視線に“縦の流れ”を加える }

ぶんぶんぶん／ボヘミア民謡

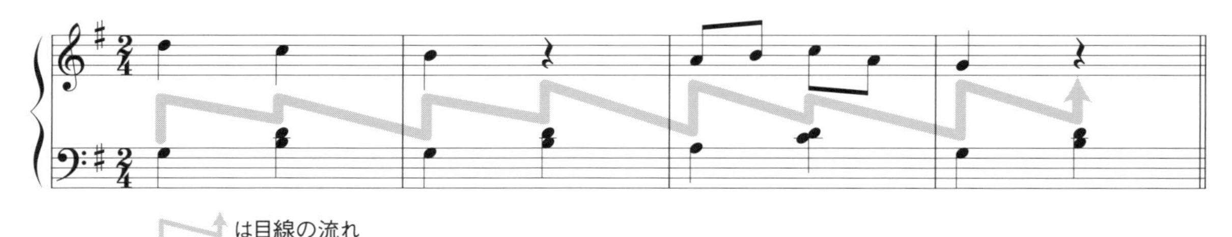

楽譜は常に左から右へと流れます。五線の右端まで行くと段が変わって再び右へ進み、段が終わると次のページへ移ります。ピアノの難しさは、この左から右へと進む“横の流れ”を、両手で同時に追わなければならないところにあります。

この問題は、目線にもう１つ**“縦の流れ”**を加えることで克服できます。まず、両手で同時に鳴らす音の中で一番低い音、ヘ音記号の最低音に注目します。そこから垂直に下から上へ、ト音記号の最高音まで視線を移動させます。その後､右隣の最低音へ進みます。この目の動きを繰り返してください。すると、楽譜上をジグザグに進むことになります。実は、この“ジグザグ走行”こそ、両手で同時に大譜表を追うための最短コースなのです。

Lesson
21
大譜表を縦に読む

ぶんぶんぶん／ボヘミア民謡

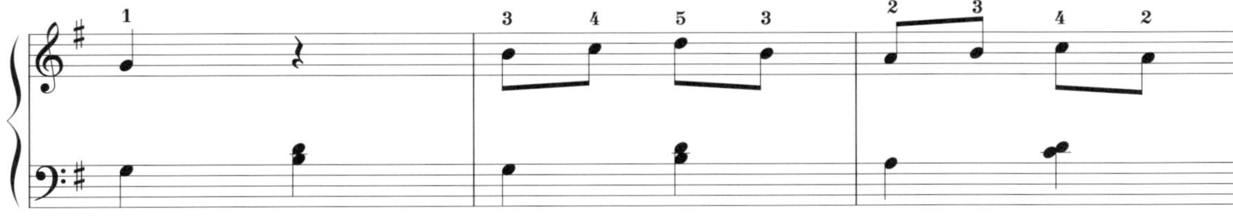

Lesson 22

加線だらけの音を克服する

音符が五線をはみ出し、加線の音が増えると、楽譜は読みにくく感じますが、その都度数えるよりも、丸覚えしてしまう方がスムーズです。

{ 上下1オクターブ分を覚えてしまう }

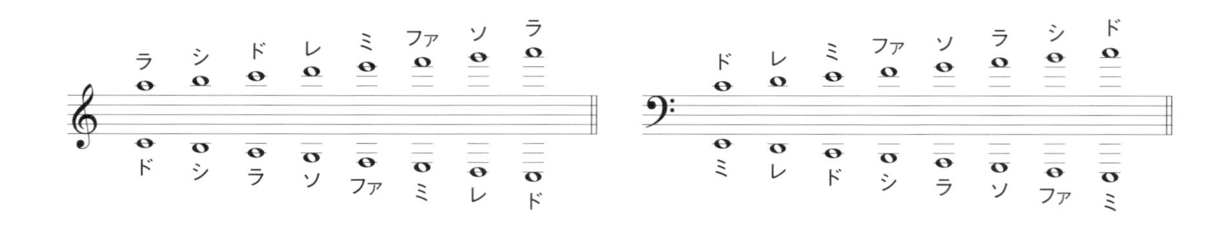

結論から言うと、加線は上に増えようが下に増えようが、せいぜい3つか4つまで、1オクターブ分くらいの範囲です。それ以上増えれば 8va--- でくくられ、見やすく整理されます（フレーズの流れによっては例外もあります）。ということで、その3つか4つの加線が付いた音を、覚えてしまえばてっとり早いわけです。

P.38で紹介した、記譜しながら覚える方法を実践するか、次ページの楽譜を弾きこんでみてください。

なかなかすぐには難しいと感じる方は、ト音記号の五線の上に加線が1つ増えたら「**ラ**」、へ音記号の五線の下に加線が1つ増えたら「**ミ**」と、加線が一つの音は最低限覚えておきましょう。

Lesson
22
加線だらけの音を克服する

音階練習1(イ短調)

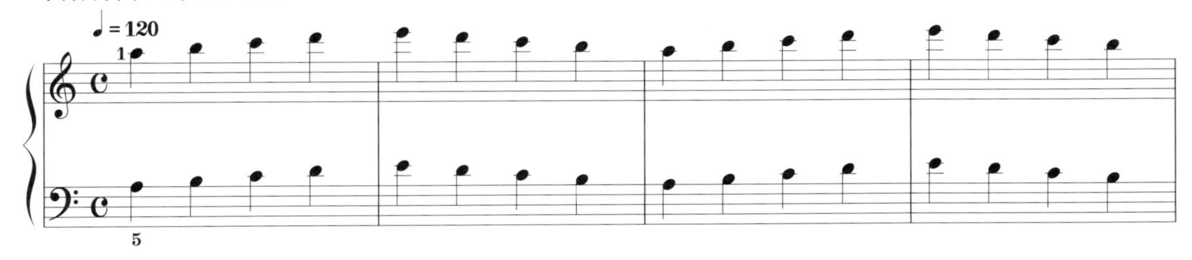

音階練習2(イ短調)

Lesson 23

臨時記号に強くなる

♯ や ♭ は突然現れるもの。黒鍵をスムーズに弾くために、とっさのときにも慌てない、瞬時の判断力を養っておきましょう。

｛シミュレーションに慣れておく｝

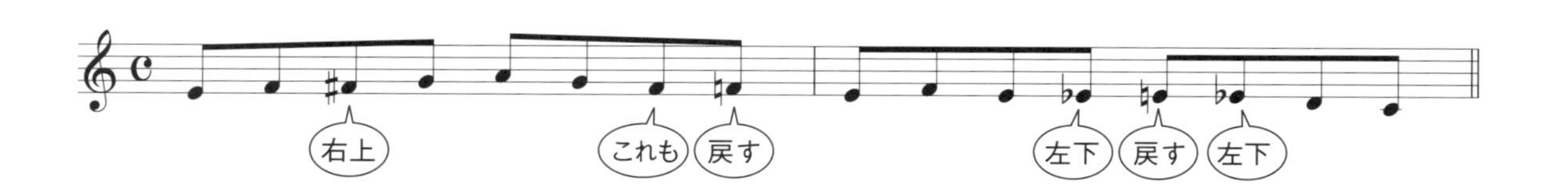

楽譜上で臨時記号の ♯ や ♭ が付く音が出てくるとつまづいてしまうという方は、臨時記号が突然出てきてもスムーズに頭を切り替えられるようにしておきましょう。

♯ はすぐ右上の鍵盤、♭ はすぐ左下の鍵盤を弾くわけですが自転車や車のハンドルを切るように、「♯は右！」、「♭ は左！」とパッと切り替えます。さらに、♯ や ♭ が出てくれば、直後に ♮ が飛び出してくる可能性が高い、と予測しておきましょう。

次ページでは敢えてシミュレーションゲームのような練習を紹介します。無事にゴールに辿り着けるまで、繰り返しチャレンジしてみてください。

Lesson
23
臨時記号に強くなる

Lesson 24

調号に強くなる

楽譜の冒頭に ♯ や ♭ がたくさん付くと、ピアノはどうしても難しくなってしまいます。「調」を判断し、鍵盤上で音階を弾くトレーニングをしましょう。

{ まずは調名の判断方法を知ろう }

ピアノは楽器の構造上、調号の数とともに黒鍵を弾く数が増えるため、どうしても演奏のハードルは上がってしまいますが、例えば調号が３つ付いた曲を「シとミとラが全部フラット！」と覚えるのではなく、「変ホ長調」という調名で把握しておいた方が、演奏はスムーズです。

ここでは、難しい理論を持ち出して解説することはしません。まずは、機械的に次のことを覚えてください。「**一番最後に付いた ♯ の半音上**」または「**最後から２つ目の** ♭（※１）」これが、その曲の調名です（※2）。調号で ♯ と ♭ が混在することはありませんから、必ずこのどちらかです。この調名の判断を覚えた上で、次ページからの音階練習をし、調名と鍵盤上の音階を一致させましょう。

（※1）ただし ♭ １つのときはヘ長調。
（※2）調名は日本音名で言います。また、♯ がついている場合は「**嬰**」、♭ がついている場合は「**変**」をつけます。
例：変ホ長調、嬰ヘ長調　etc.

音名の呼び方の違い

イタリア音名	ド	レ	ミ	ファ	ソ	ラ	シ
日本音名	ハ	ニ	ホ	ヘ	ト	イ	ロ

Lesson

24-1

調号に強くなる

♯ が一つずつ増える練習

ハ長調　ト長調　ニ長調　イ長調

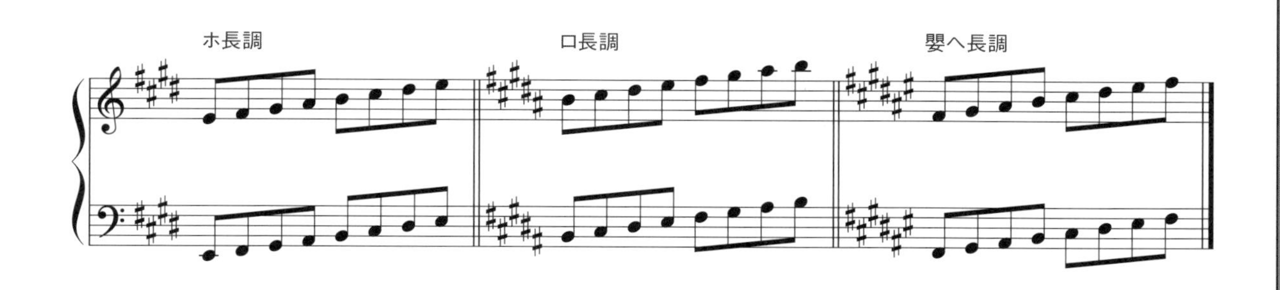

♭ が一つずつ増える練習

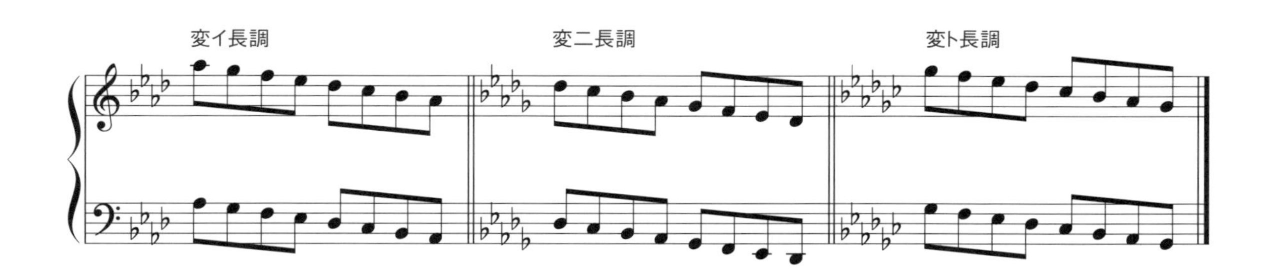

Lesson
24-2
調号に強くなる

白鍵の調の練習

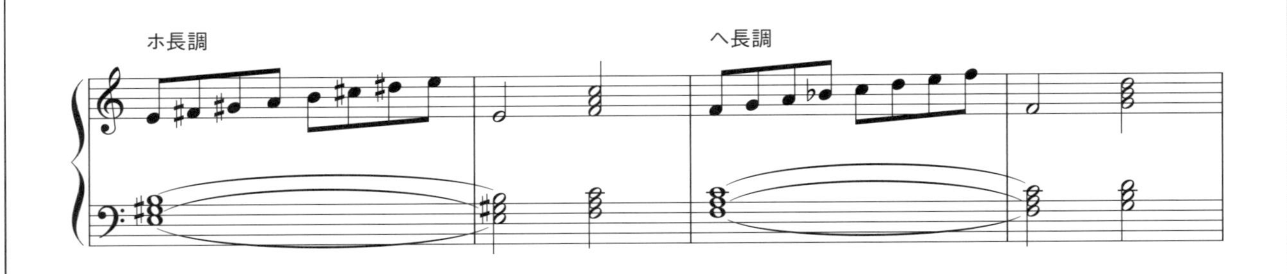

Lesson 24-3 調号に強くなる

黒鍵の調の練習

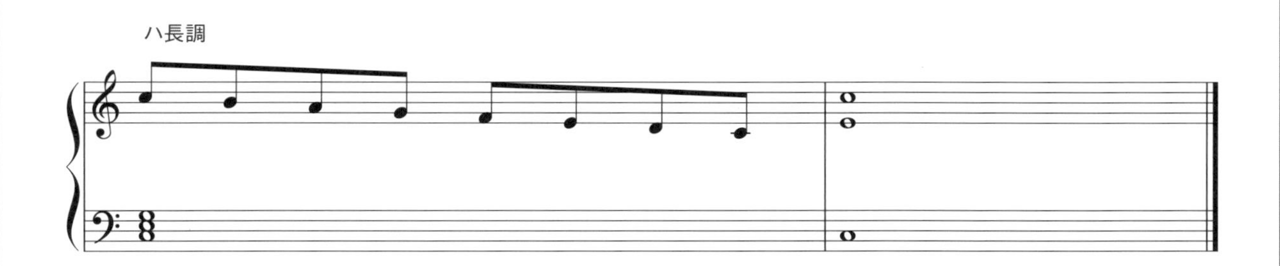

Lesson 25

音価に強くなる

ここまでは、音符の高さの練習が中心でしたが、音符の長さ（音価）にも強くなる練習をしましょう。

{ 頭より体で覚える }

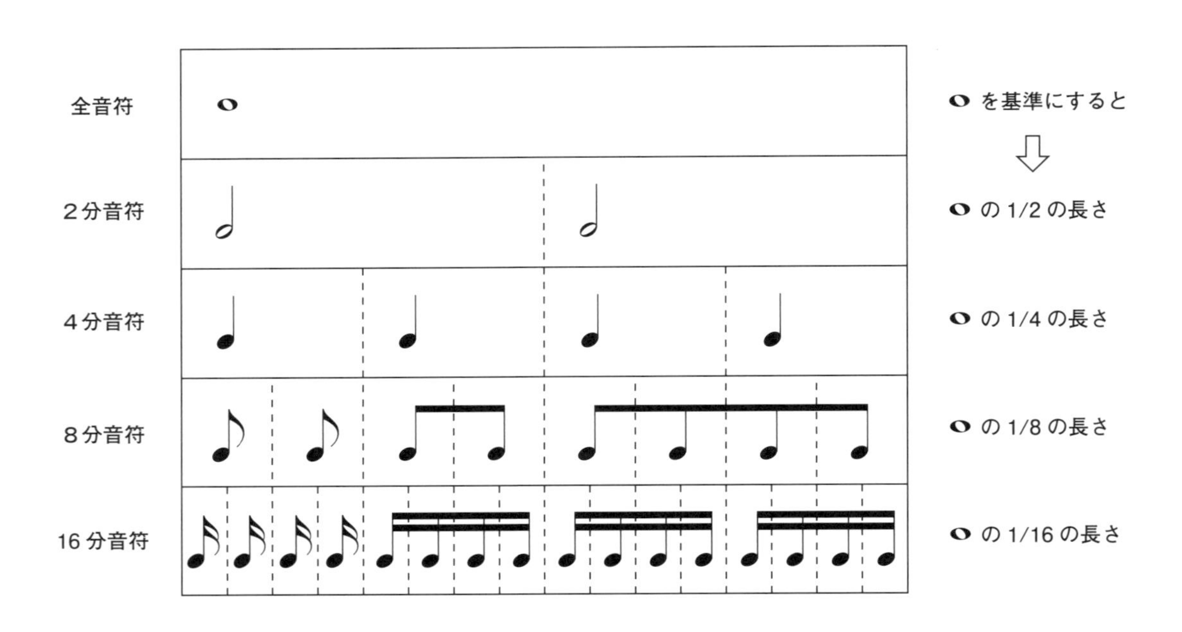

楽譜は読めても実際に弾くとなると、“リズムが苦手”だと感じる人は多いでしょう。

リズムは、音価（音符の長さ）の組み合わせです。音価を覚えるのに最初は、4分音符を基準にして2分音符は倍、8分音符は半分、などと理屈から学びますが、無限にある音価の組み合わせの中で、いちいち理屈を持ち出して対応していたらキリがありません。

音価は、弾きながら身に付けるのが一番です。しかも、自転車の乗り方をマスターするのと同じで、体が一度覚えたら一生忘れません。ここでは、いろいろな音符でひたすら「ドレミファソ」を弾く練習を、頭より体を使ってやってみましょう。譜例はハ長調ですが、ト長調やヘ長調など、他の調でも弾いてみてください。

Lesson
25-1
音価に強くなる

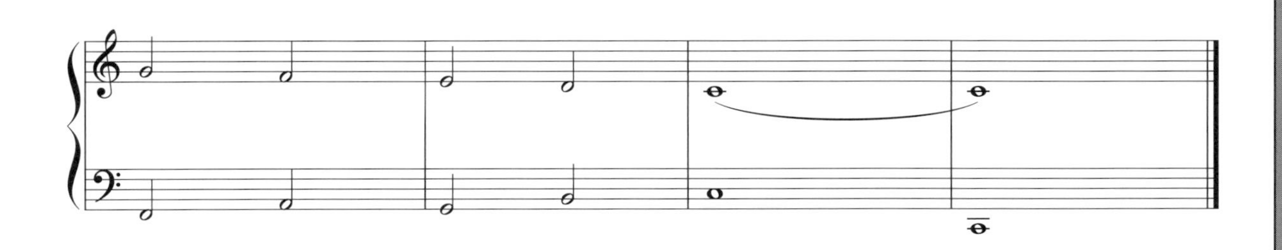

Lesson

25-2

音価に強くなる

Lesson

25-3
音価に強くなる

♩= 80 ♪ と ♪. と 𝅘𝅥𝅯

Lesson 26

リズム感を鍛える

リズム感を良くするには、メトロノームを使った練習が欠かせません。さらに、様々な活用アイデアで効果的な練習をしましょう。

{ メトロノームを活用する }

人間は機械ではありませんから、寸分の狂いのない正確なテンポを刻むことはできません。リズム感を養うためには、いつ何時もメトロノーム（クリック）を鳴らしながら練習を行うようにしましょう。

メトロノームはアイデア次第でいろいろな使い方ができます。クリック音を拍の頭で鳴らす普通の使い方だけでなく、倍や半分のテンポで鳴らしたり、半拍ずらして拍のウラに鳴らして練習すると、とても効果的です。P.65のハノンの音階練習で実践してみましょう。

ちなみに、ピアノを離れているときも、時計の秒針を見て１秒は♩= **60**、１秒に２拍は♩= **120**、１秒で３拍は♩= **180**、２秒で３拍は♩= **90**、などと意識すると良い練習になります。

Lesson

26-1

リズム感を鍛える

音階練習（ハノン1番）

♩=100を基本に、クリックを♪=200や𝅗𝅥=50、♩=100を半拍ずらして

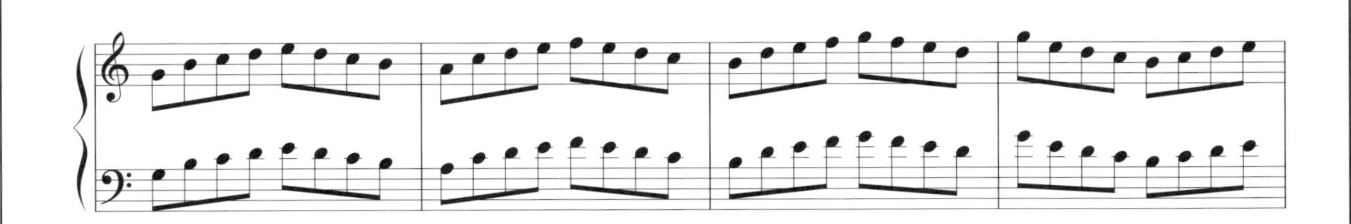

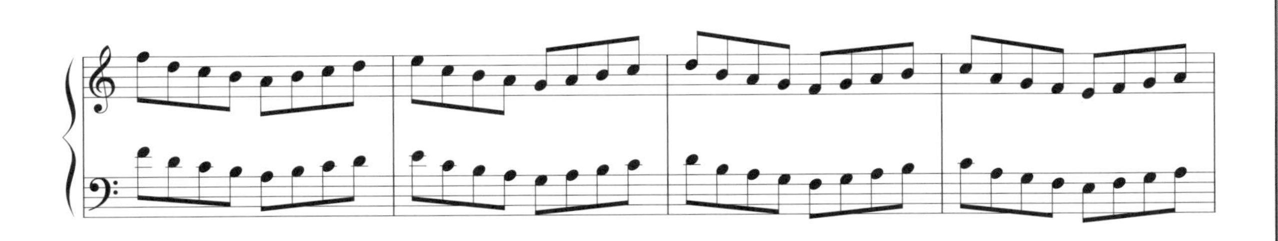

Lesson
26-2
リズム感を鍛える

きらきら星／フランス民謡

♩=80　メトロノームをウラ拍で鳴らしましょう。

Lesson

26-3

リズム感を鍛える

きらきら星／フランス民謡

♩=80　メロディをウラ拍で弾きましょう。

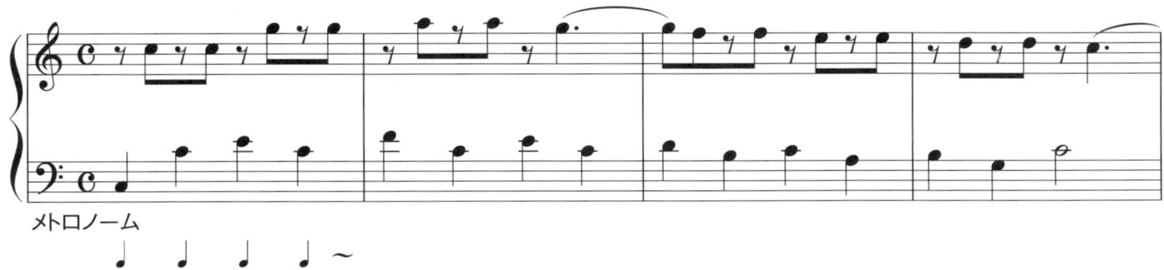

Lesson 27

拍子記号に迷わない

楽譜の冒頭に $\frac{9}{8}$ や $\frac{12}{8}$ などと書かれていると一瞬、戸惑ってしまうかもしれませんが、難しく考える必要はありません。

{2拍子、3拍子、4拍子を基本に考える}

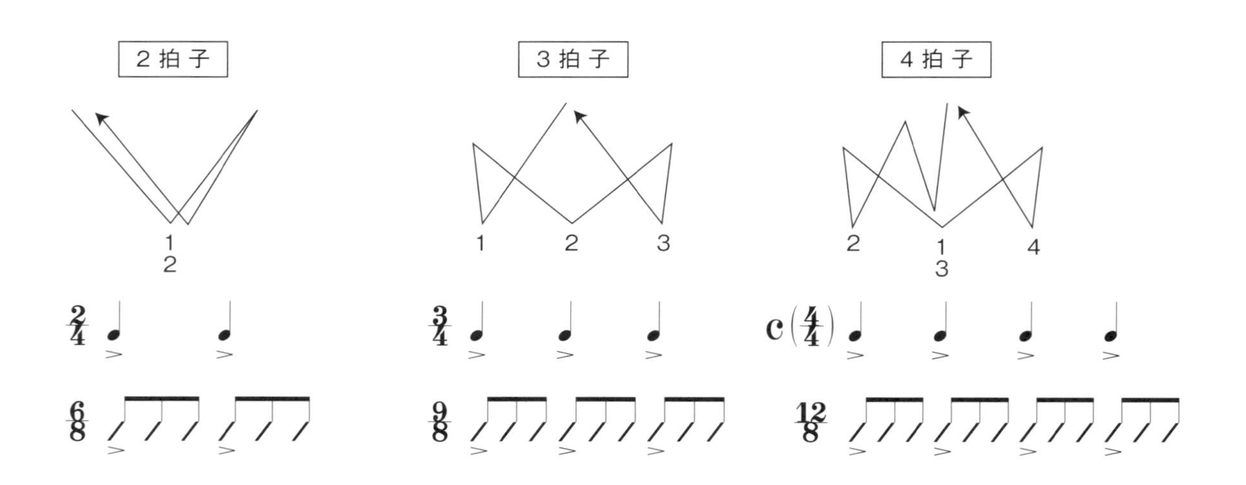

拍子記号でもっとも多く見る「c」は $\frac{4}{4}$ のことで、コモンタイムといって“一般的な拍子”を意味します。しかし、世の中には $\frac{4}{4}$ 以外の曲も多く存在します。$\frac{2}{4}$ や $\frac{3}{4}$ ならまだしも、$\frac{9}{8}$ や $\frac{12}{8}$ などはどうしたら良いのか迷ってしまう人もいるでしょう。そこでまず頭に入れておいて欲しいのは、拍子記号の分子が6、9、12の拍子はそれぞれ6→2、9→3、12→4拍子で捉えることができる、ということです。例えばドビュッシーの『月の光』は $\frac{9}{8}$ ですが、3拍子で大きく捉えることができます。

2拍子・3拍子・4拍子はそれぞれノリが変わります。上図では参考までに指揮法の図を載せました。この3つのノリの違いが分かれば、他の多くの拍子にも対応できるようになります。

Lesson
27
拍子記号に迷わない

月の光／作曲:ドビュッシー

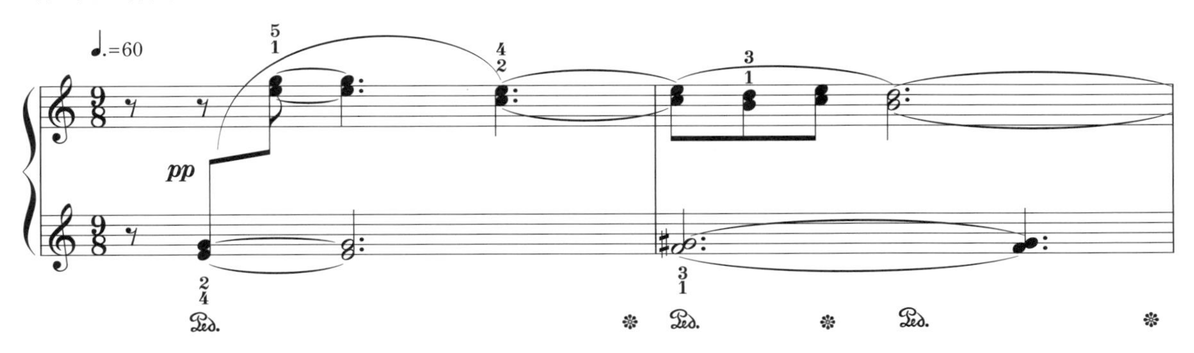

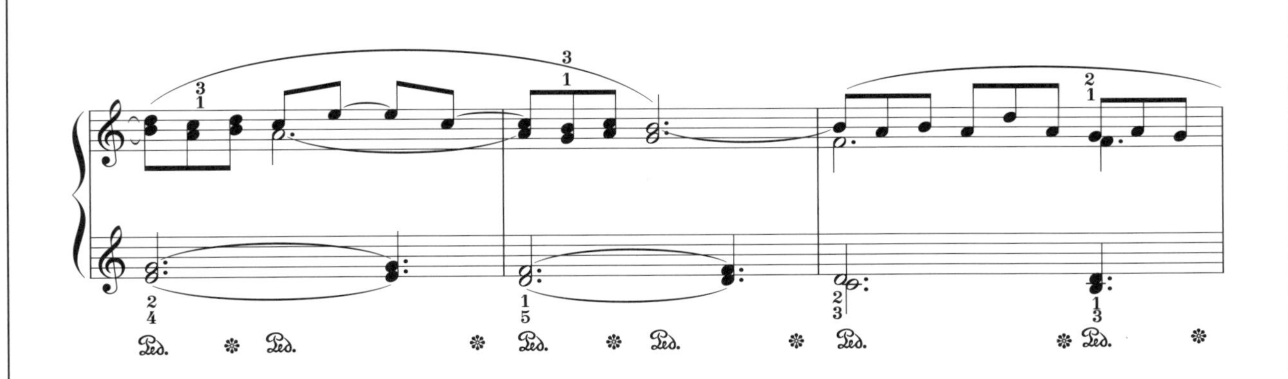

Lesson 28

変拍子に対応する

2拍子や3拍子、4拍子で単純に割り切れない拍子も存在します。5拍子や7拍子のような変拍子と呼ばれるものです。

{その曲ごとに向き合うしかない}

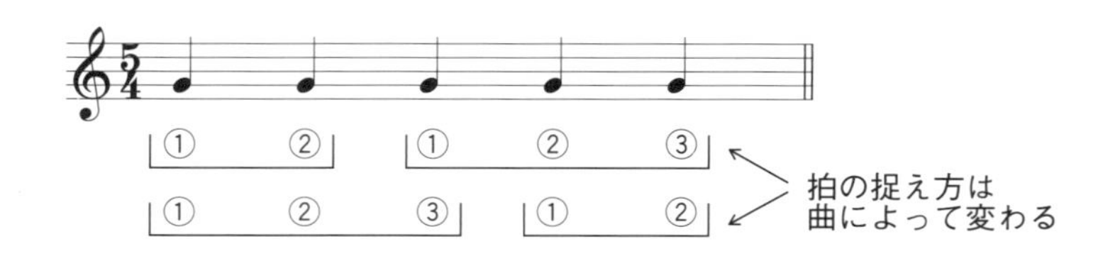

まず変拍子の定義ですが、実は曖昧です。通常は5拍子のような混合拍子（異なる拍子が合わさった拍子）のことを指しますが、曲の途中で拍子が変更することをそう呼ぶこともあります。

いっそのこと、ここではまとめて解説しますが、結論から言うと混合拍子や拍子が途中で変更する曲は、その都度対応していくしかありません。例えば、$\frac{5}{4}$を2拍子＋3拍子と取るか、3拍子＋2拍子と取るかは曲によります。また、途中で拍子が変更する場合は、その都度拍子を捉えなければなりません。向き合って弾き込みながら、理解していくしかないのです。

次ページはムソルグスキーの『プロムナード』のメロディのみです。

Lesson
28
変拍子に対応する

プロムナード／作曲:ムソルグスキー

Lesson 29

和音を美しく鳴らす

複数の音が重なり合うとき、ただ同時に鍵盤を鳴らすのではなく、楽曲が息づくハーモニーを意識しましょう。

{ 音のバランスを考えよう }

きらきら星／フランス民謡

鍵盤上で複数の音を同時に響かせると“和音”が生まれます。そんな当たり前のことをなぜ今更…と思いになるかもしれませんが、ピアノを演奏する上では“和音をどのように弾くか”がとても重要なのです。

例えば、両手で同時にいくつもの鍵盤をジャーンと押さえるとき、この音を一番響かせたい、この音は少し控え目にした方がハーモニーが美しくなる、等と意識を向けるか向けないかで、演奏の善し悪しは全く変わります。

また、同時に鳴らしているつもりでも、タイミングが微妙にズレたり、鍵盤同士が離れているときや黒鍵の音が出てくると、音があきらかにバラけてしまうこともあります。

目で楽譜を追うだけでなく、耳で客観的に感じとりながら、音のバランスに注意を向けましょう。

Lesson

29-1

和音を美しく鳴らす

聖者の行進／TRADITIONAL

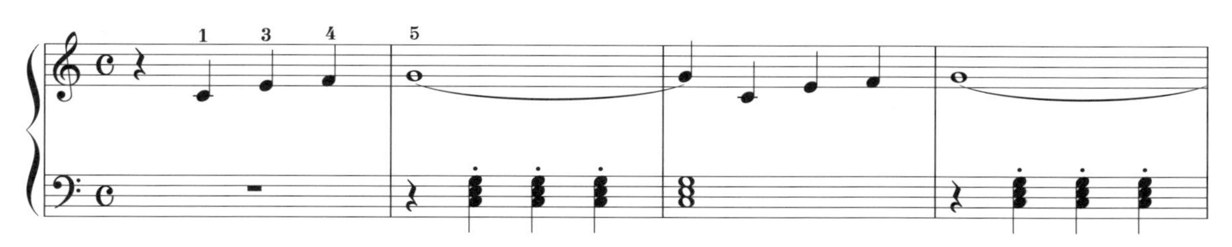

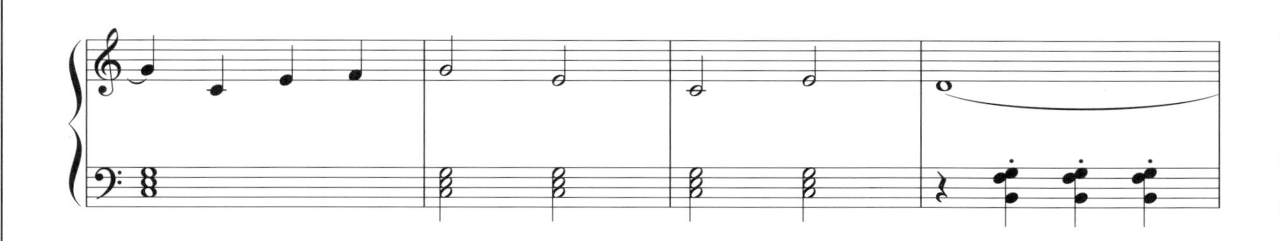

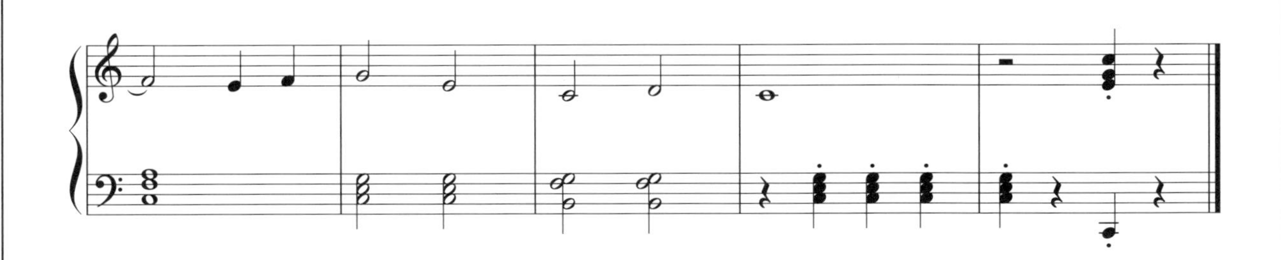

Lesson
29-2
和音を美しく鳴らす

乾杯の歌（歌劇「椿姫」より）／ヴェルディ

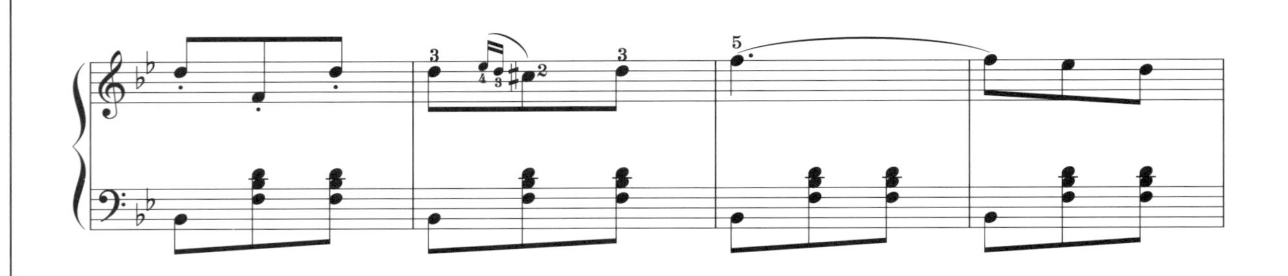

Lesson 30

アルペジオを美しく鳴らす

主に左手が受け持つことが多いアルペジオ(分散和音)。5本の指の力を均等に、なめらかに流れて演奏できるように心がけましょう。

{フレーズの流れを途切れさせない}

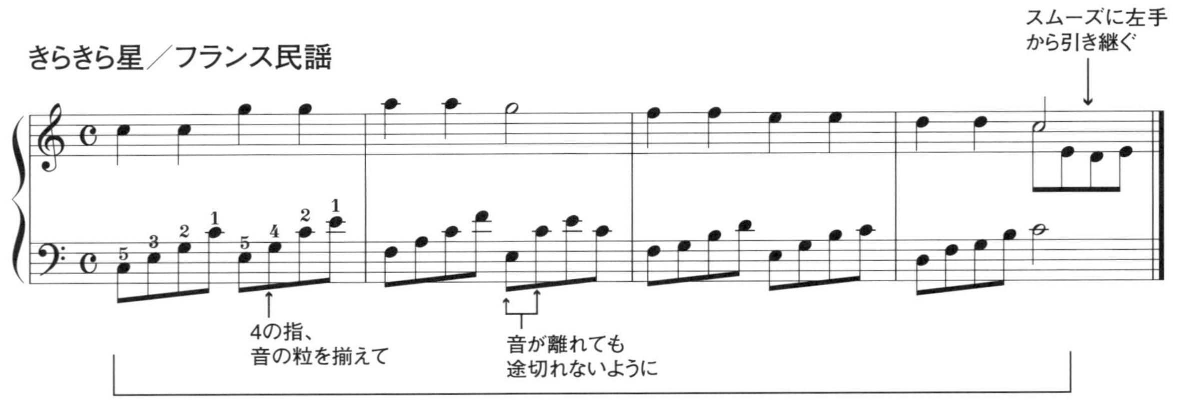

和音を分散させて弾くアルペジオという奏法は、ピアノに限らず多くの楽器に共通して、主にメロディ（主旋律）を支える伴奏の役割を果たします。

他の楽器や歌とのアンサンブルではなく、ソロでピアノを弾く場合は、右手のメロディに対し、左手がアルペジオを受け持つことが多いので、ここでは左手中心に話します。

まずは左手５本指を均等に音の粒を揃えて弾くことから心がけましょう。とくに、薬指は極端に音が弱くなったり、逆に力を入れ過ぎたりしやすいので気をつけてください。音の粒が揃うようになったら、前項と同じく、音色のバランスを耳で確認しましょう。

また、伴奏といってもアルペジオはメロディと同じくフレーズ感を持たせることが重要です。フレーズがプツプツと途切れないように、スムーズな流れを作り出しましょう。

Lesson

30-1

アルペジオを美しく鳴らす

ブラームスの子守歌／ブラームス

Lesson

30-2

アルペジオを美しく鳴らす

アヴェ・マリア／シューベルト

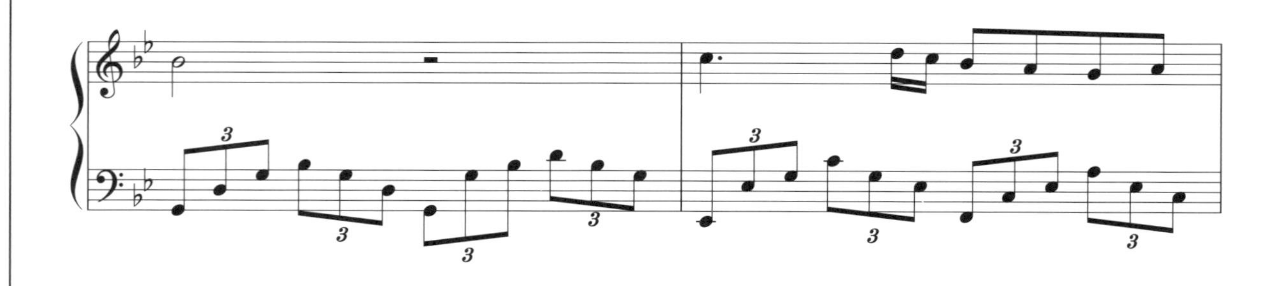

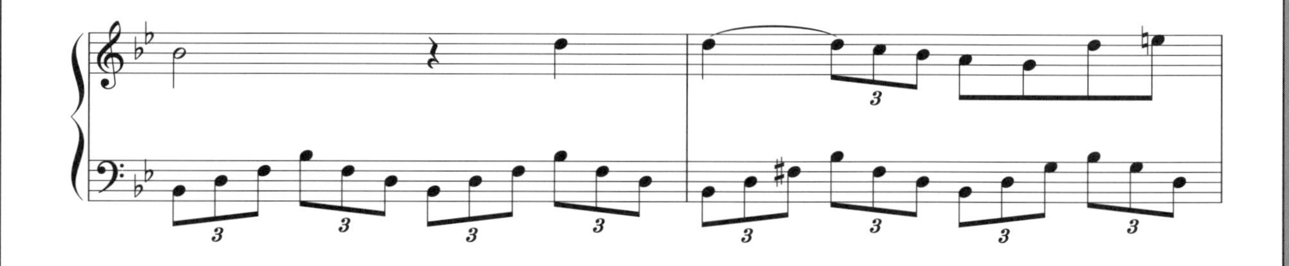
3
3
3
3
3
3
3
3
3

3
3
3
3
3
3
3
3
3
3
3

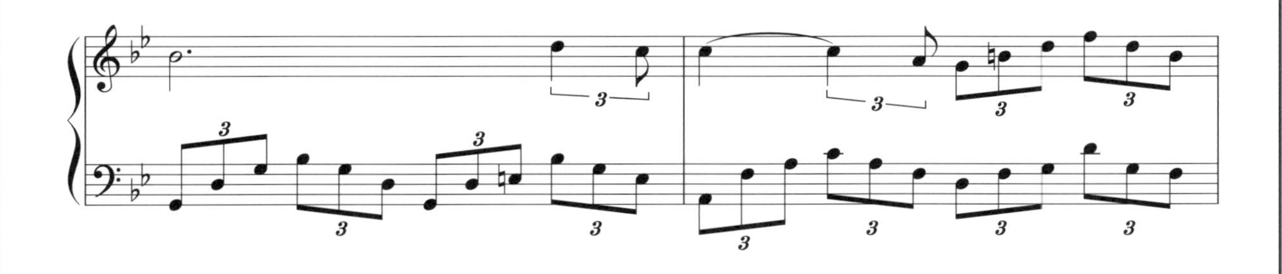
3
3
3
3
3
3
3
3
3
3
3
3
3

3
6
3
3
3
3
3
3
3
3

Lesson 31

速度用語を知る

♩=60 のように数字で速度が表記されていれば良いですが、知っておかないと演奏ができない速度用語が多々あります。

{ 演奏者自身が加減を判断する }

基 本 用 語			
速 度	用 語	呼 び 方	意 味
遅い	**Largo**	ラルゴ	ゆったりと
↑	**Andante**	アンダンテ	おだやかに
	Moderato	モデラート	中くらいの速さ
	Allegretto	アレグレット	少し速く
↓	**Allegro**	アレグロ	速く
速い	**Presto**	プレスト	急速に

テンポを変える		
用 語	呼 び 方	意 味
accel.	アッチェレランド	だんだん速く
rit.	リタルダンド	だんだん遅く
𝄐	フェルマータ	一時停止

テンポを戻す		
用 語	呼 び 方	意 味
a tempo	ア　テンポ	すぐ前のテンポに戻る
Tempo I	テンポプリモ	一番初めのテンポに戻る

速度用語はたくさんありますが、最低限覚えておいた方が良いものを挙げました。速度用語で肝に銘じておくべきは、♩=60（1分間に4分音符を60回打つ速さ）のような“絶対的な速度は存在しない”ということです。

例えば「Allegro（速く）」を、どのくらい速く演奏するかは、演奏者自身の感覚に委ねられます。基準になる「Moderato（普通）」を♩=70 ～ 80 くらいと考える、と一般的には言われていますが、これすらアバウトです。

音を一時中断させるフェルマータ（𝄐）も、付いた音符の2～3倍などと言わることがありますが、きっちり数えると逆に不自然な場合もあります。要は、演奏者自身が自然に感じるまま判断してください、ということ。その曲をいかに**“自然なテンポ”**で奏でるか、その意識を持つことが重要です。

Lesson 31
速度用語を知る

かえるのうた／ドイツ民謡

Moderato

1 2

Lesson 32

曲想用語を知る

歌詞のない音楽にも作曲家のメッセージが込められています。それをくみ取るのが曲想用語。ちなみにほとんどがイタリア語です。

{ 書いて覚えると早く読めるようになる }

用 語	呼び方	意 味
agitato	アジタート	激昂して
cantabile	カンタービレ	歌うように
elegante	エレガンテ	優雅に
espressivo	エスプレッシーヴォ	表情豊かに
dolce	ドルチェ	柔らかく
grandioso	グランディオーソ	堂々と

用 語	呼び方	意 味
grave	グラーヴェ	おごそかに
lamentabile	ラメンタービレ	悲しげに
leggiero	レジェーロ	軽やかに
maestoso	マエストーソ	威厳を持って
marziale	マーツィアーレ	行進曲風に
vivo	ヴィーヴォ	生き生きと

『のだめカンタービレ』というコミックが以前大ヒットし、実写版のドラマや映画も国民的人気を得ました。「カンタービレ」というのは“cantabile＝歌うように”という意味の曲想用語です。

このような曲想用語は作曲家の演奏イメージを伝えるもので、演奏家はそれをくみ取ることになります。『のだめ』のように音大生ならいろいろな種類の曲想用語を暗記する必要がありますが、普通はそこまでしなくて大丈夫です。ここでは有名なものを挙げますが、この他に知らない用語が出てきたときのために、手元に楽語辞典があると便利でしょう。

P.83では、敢えて単調な音階練習にところどころ曲想用語を付けています。イメージをくみ取るつもりで弾いてみてください。

Lesson 32
曲想用語を知る

2. 演奏を録音・録画しよう

１人で練習をしているとどうしても、ただ“なんとなく弾いている”状態になりがちです。これが怖いのは、間違えた部分よりも、自分で間違いに気づけず素通りしてしまうことです。

教室で先生に教わっていたり、ピアノを弾ける人がそばにいてアドバイスがもらえるなら良いのですが、独学でピアノを練習している人は、自分で自分のアドバイザーになるしかありません。

そこで、客観的な目や耳を養うために、自分の演奏を録音や録画してみる方法がおすすめです。

今はスマホが一台あれば、ボイスレコーダーやカメラの機能が手軽に使えるので、どんどん活用しましょう。もちろん機材にこだわりたい方は、マイクやカメラを使うのも良いでしょう。動画を撮る場合は、手元にアングルを合わせて指づかいを確認したり、引いたところから撮って、姿勢も観察してみましょう。

自分の演奏を客観的に見る・聴くことによって練習の課題がわかり、また記録として繰り返し残し、振り返れば、練習の成果や自分の成長度合いを感じられることでしょう。

第3章
好きな曲を弾くための練習のコツとヒント

The piano progress exercise law that weak point awareness disappears

Lesson 33

練習範囲を決める

「この曲が絶対に弾けるようになりたい！」という熱意以上に大切なこと。それは、練習を継続させることです。

｛低い目標設定で達成感を得る｝

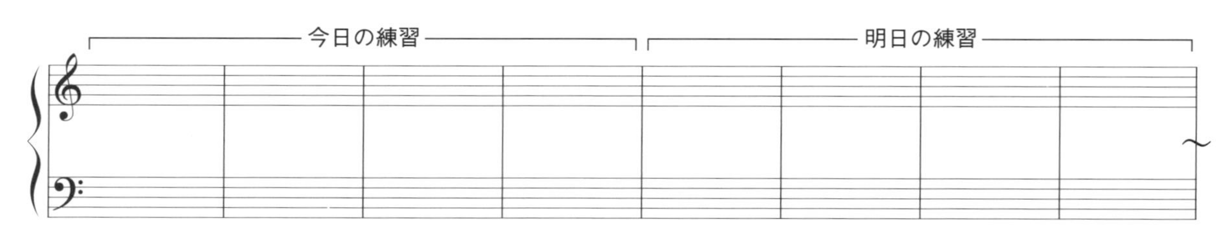

短くても確実に弾ける練習範囲を決めましょう

夏までに10キロ痩せる！　と決意した人がダイエットを成功させるには、徹底した自己管理が必要です。それよりも、今月は1.5キロ減らそう、と間食を抑えるくらいでいた方が、結果は得やすいこともあるのです。

ピアノの練習もこれと同じで、最初から無理をすると後で挫折します。今日は４小節目まで、明日は８小節目まで、と短く無理のない範囲を決め、それを着実にクリアしながら小さな達成感を積み重ねた方が、練習は楽しく続けられます。

練習に入る前に楽譜を一通り眺め、練習のスケジュールを想定して、えんぴつで日付を書き込んでおくのも良いでしょう。ただし、練習を継続させ、ゆっくりでも着実に前へ進むことが重要です。最初から目標設定を欲張ってしまうと、途中でつまづく可能性も高くなってしまうので気をつけてください。

Lesson 34

楽譜を大まかに捉える

楽譜は、音が縦に広がるほど、そして横に密集するほど読むのが難しくなります。読譜に新たな目線を加えましょう。

{ フレーズの塊を見つける }

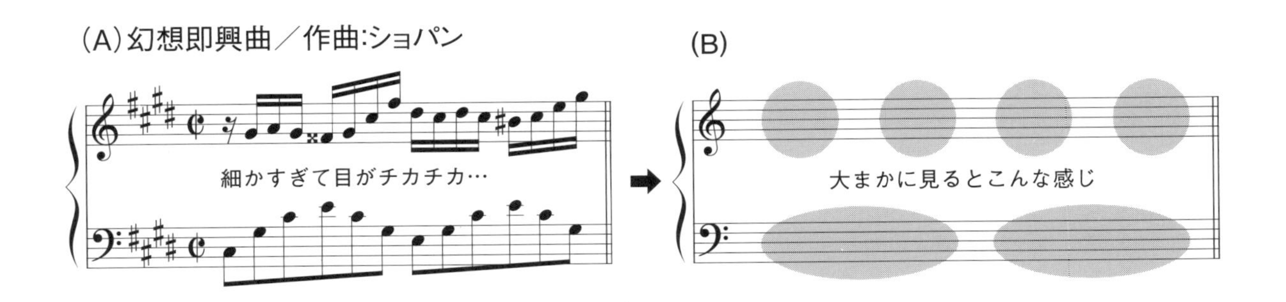

はじめて弾こうとする曲の楽譜をパッと見たときに、音域が広かったり細かい音符が密集していたりすると「難しそうだな～」という印象を持つかもしれません。しかし、楽譜を読むのが難しい曲と実際に演奏が難しい曲は、必ずしもイコールではありません。「弾いてみたい！」と思う曲なら、読譜を苦手がらずに進んでチャレンジしましょう！

例えば（A）のような楽譜を初めてみるとき、大抵の人は混乱するでしょう。この曲の場合、音の跳躍が激しい上、譜割が左右で異なります。ところがこれを、ザックリ大まかに見ると、なんとなく（B）のように見えてきませんか？

このように、細かいフレーズを1つの塊として見ると、P.50で紹介したジグザグ走行で楽譜を追うことができます。といっても、このレベルの楽曲が弾ける人は本書を必要としない人です。いつか挑戦する機会があったら、先にフレーズの塊を大きく捉えてから、細かな練習に取り組んでみてください。

Lesson 35

楽譜の書き込み術

弾きやすく、練習しやすくなるなら、楽譜にいくらでもメモを書き込みましょう。書き込んだ形跡が増えることも、練習を重ねた証です。

{ 楽譜の余白にメモを書き込む }

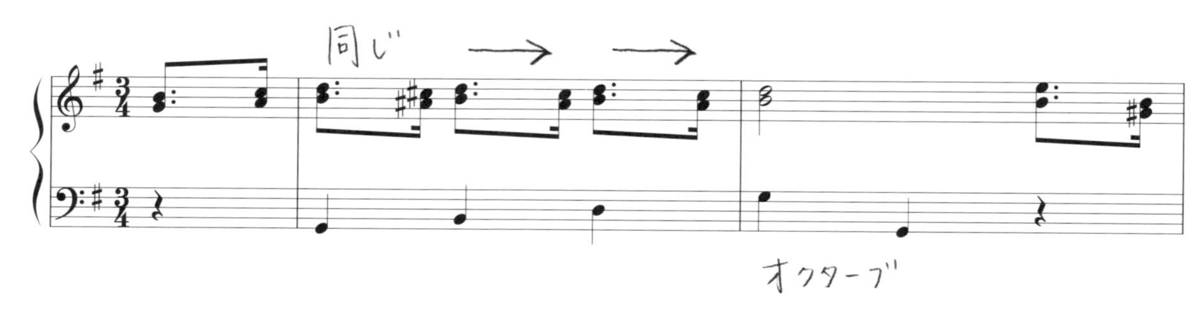

市販の楽譜をコピーすることは法律で固く禁じられていますが、自分で買った楽譜はメモを書こうが絵を描こうが好きに使って良い物です。私が教えている幼稚園の女の子は、自分の好きなアニメキャラクターのシールを余白の随所に貼っています。そうすることで、練習のモチベーションが上がるようです。

P.86 でスケジュールを書き込むアイデアを紹介しましたが、自分が弾きやすく・練習しやすくなることはいくらでも楽譜に直接書き込んでください。「半音ずつ上がる」「同じ音」など、メモを余白に書き込んだり、色鉛筆や蛍光ペンを使って、類似したフレーズを色分けするなども1つの方法です。煩雑になるのが嫌なら鉛筆で書いて後で消しゴムで消せば良いのです。

楽譜を乱暴に扱ってはいけませんが、独自のメモを書き込みながら、その曲を弾き込み続け、楽譜がくたくたになっていくことは、練習を続けた証。大切な一冊になるはずです。

Lesson 36

反復練習のアイデア

弾きたい曲の中で、どうしてもつっかかってしまう部分があるときの効果的な練習方法を紹介します。

{ 指が覚えてくれるまで繰り返す }

好きな曲を演奏していて、いつも同じ部分でつっかかってしまう場合は、その部分の練習の仕方を見直す必要があります。例えば、つっかかってしまった部分をゆっくり弾き直し、弾けたらまた最初から弾くようなやり方は、あまり効率が良いとは言えません。

間違わずに弾けるようになるには、とにかくその部分だけを **“指が覚えてくれるまで繰り返す”** のが一番です。このとき、ただ闇雲に繰り返すのではなく、その苦手な１～２小節、あるいは１拍や２拍のフレーズを、４小節や８小節などキリがよい長さで弾いてみます。

一つ注意点として、つっかかってしまう部分が右手あるいは左手どちらかの一部分だとしても、できるだけ両手で練習を繰り返してください。片手だけでしばらく練習を続けていると、後で両手をあわせたらまたつっかかってしまって効率が悪いこともあるからです。苦手なところの反復練習に慣れてきたら、前後の小節を足して同じように繰り返し、さらに慣れたら通して弾きます。

Lesson 37

スローテンポのススメ

テンポの速い曲をいきなり弾こうとすると、指がこんがらがってしまうことがあります。まずはゆっくり弾いてみましょう。

{ 確実に弾けるテンポから始める }

モーツァルトの『トルコ行進曲』のような曲を、ガムシャラに速く弾く人もいますが、いくら速くても、音の粒が乱れたり、本来の曲調（この曲なら「行進曲」）を壊すような演奏をしては本末転倒です。

ハードロック系のギタリストで、16分音符の羅列を♩= **200** 以上で「速弾き」する人がいますが、それにしたって“まずはゆっくり弾く”ことから練習を始めるものです。

テンポが速いと感じる曲は、まずはテンポを下げてゆっくり弾きましょう。１音ずつに意識が行き届き、どの部分が苦手か、どの音が乱れているかを把握しやすくなります。慣れてきたら、少しずつテンポを上げていきましょう。

例えば、♩= **100** の曲なら♩= **90** で練習してみて、それでも速いと感じれば、80、70…と落としていき、メトロノームにきちんと合わせて、１音１音を確認しながら練習します。このように練習中には必ずメトロノームを使い、どんなテンポでも上手く弾くことができるようにしましょう。

Lesson 38

暗譜のススメ

好きな曲、弾きたい曲が弾けるようになったら、楽譜を見ないでも弾けるようになりましょう。

{ 指と耳で記憶する }

主よ人の望みの喜びよ／作曲:バッハ

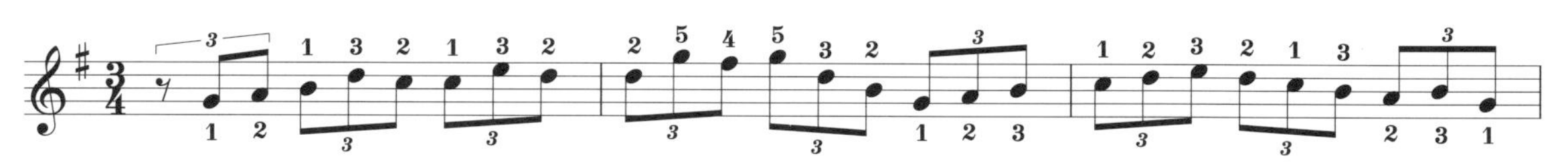

最終的には目隠ししても弾けるようにしましょう!

発表会のような場や、楽譜のないところでピアノを弾く場合、暗譜（＝楽譜を暗記する）をしておく必要があります。必要に迫られていないにしろ、暗譜までできて初めて“その曲をモノにした”達成感が得られるでしょう。目隠ししても曲が弾ける、ここまでできたらパーフェクトですね。

ピアノは比較的、暗譜がしやすい楽器です。ギターやバイオリンは１つの音を鳴らすのに複数のポジションが考えられますし、サックスやトランペットは音の並びが目に見えない上、操作が複雑です。その点、楽器の構造上、音と鍵盤の一致が容易なピアノは、指と耳さえ記憶すれば暗譜はスムーズです。

暗譜のコツは、さすがにいきなり目隠ししたり、何も見ないで始めることは難しいので、これまでブラインドタッチで楽譜にそそいでいた視線を、今いちど鍵盤に戻し、運指を確認しながら弾きます。「あれ？　どうだったっけ？」と途中でつっかえるところが出てきたら楽譜で確認し、再び鍵盤を見ながら弾いていき、少しずつ楽譜離れができるように練習を繰り返しましょう。

Lesson 39

難曲をやさしくする（1）

弾きたい曲がどうしても難しければ、自分が無理なく弾けるように、簡単にアレンジしてしまう方法があります。

｛音数を減らす｝

別れの曲（原曲）／作曲：ショパン

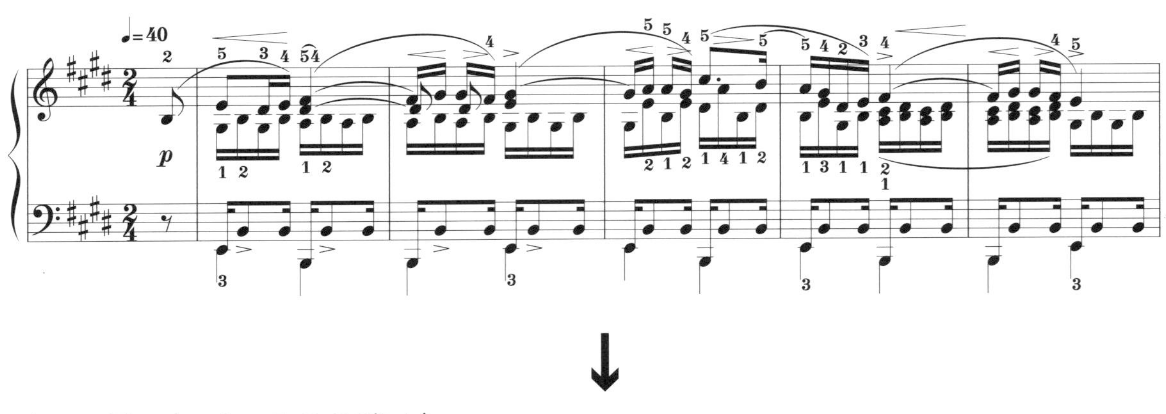

↓

（メロディとベースのみ残す）

弾きやすいように左手は1オクターブ上げてあります

楽譜には「初級」「バイエル程度」などレベルを表示して、原曲をやさしくアレンジした曲集が多く市販されています。例えば、ショパンの『別れの曲』がどうしても弾きたいのに難し過ぎる、という場合はそういった楽譜を探すのも１つの手です。

楽譜が見つからない、または自分のレベルに合わない、という場合は、自分でアレンジするしかありません。出てくる和音を自分が無理なく押さえられる音数に減らし、最低限、右手のメロディと左手のベース音だけを残せば、その曲を演奏することができます。楽曲にもよりますが、大抵の場合は右手の一番高音の音がメロディ、左手の一番低音がベース音です。

Lesson 40

難曲をやさしくする（2）

演奏が難しい上にただでさえ調号が多くて手こずるというときは、簡単なキーに丸ごと直してしまう方法があります。

｛簡単なキーに移調する｝

別れの曲（ホ長調）／作曲：ショパン

↓ 全体を半音上げる

別れの曲（へ長調）／作曲：ショパン

P.42 で解説した相対音感が身に付いていれば、難しいキーの曲をやさしいキーに移調し直すことができます。相対音感がなくても、元の楽譜を見ながら全ての音の音程を同じだけ上げたり下げたりすれば、できないことはありません。ただし、楽譜を書き移す作業に骨を折るのなら、原曲キーで練習する方がラクと言えなくもありません。

移調するのに一番簡単なキーは調号が付かない「ハ長調」です。♯が１つの「ト長調」、♭が１つの「ヘ長調」なども比較的簡単でしょう。半音や１音上げ下げするレベルで、この３つのキーのいずれかに直すと良いでしょう。

例えばショパンの『別れの曲』の原曲は♯が４つ付く「ホ長調」ですが、半音上げれば♭１つの「ヘ長調」に移調できます。

Lesson 41

難曲を克服する

難曲や大曲と呼ばれる憧れの曲が弾けるようになるために、効率の良い練習法を味方につけて、苦手部分を減らしましょう。

｛克服すべき課題を発見する｝

調号、拍子、運指、その他の音楽記号を1つずつ確認しながら苦手な部分をクリアーにしていきましょう。

「偏差値○の私が東大に合格した！」という塾のポスターを見かけることがあります。すごいなあ、と感心してしまうわけですが、無駄のない確実なステップを踏んでこそ、大きな目標が達成できるのでしょう。

ピアノも、難曲を制覇するには、着々とステップアップしていくしかありません。苦手な部分と向き合って、１つずつシラミ潰ししていくしかないのです。まずは、克服すべき課題を自分で発見することから始まります。本書でこれまでに紹介してきた練習法を味方につけて、難曲にも果敢にチャレンジしてください。

もしあまりにも難し過ぎるなら、少しレベルを落とした曲から始めるのも１つの近道です。少しずつ小さな達成感を重ねながら、いずれは大きな目標を達成してください。

Lesson 42

耳コピに挑戦する

音楽を耳で聴き取って演奏をコピーする「耳コピ」を習得すると、音感やリズム感が鍛えられ、採譜もできるようになります。

{ まずは1曲を最後まで聴き取ってみる }

採譜の手順

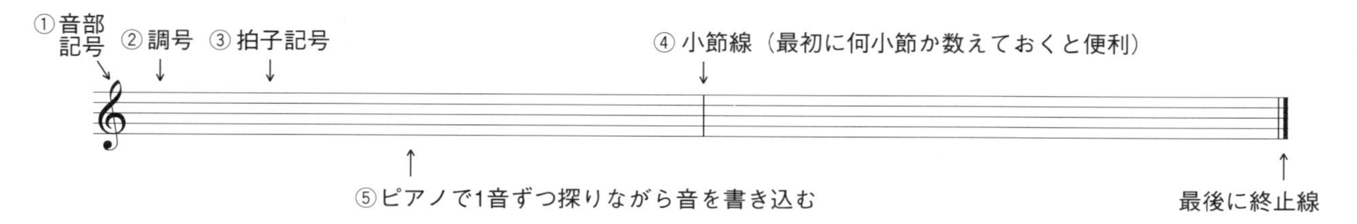

ピアニストはどうしても“楽譜頼り”になりがちですが、ロックやジャズ系のミュージシャン達が常識のようにやっている「耳コピ（＝聴音）」ができるようになると耳が鍛えられ、音感やリズム感が身に付くだけでなく、音楽の理解力が深まります。弾きたい曲の楽譜がどうしても見つからない、というときにも有効です。

どんな曲でも良いので、耳コピに挑戦してみましょう。音楽を繰り返し聴き、ピアノで1音ずつ音を探りながら、五線譜に書き起こしてください。最初からピアノの曲は難しいので、歌モノのメロディなどがおススメです。聴き取りやすい部分から始めても構いません。大切なのは、時間がかかっても最後まで完全に聴き取ることです。

一つ注意点として、最近はインターネットでライブ動画やミュージッククリップなどが気軽に視聴できるようになりましたが、耳コピする音源は**「映像のないCD」**や**「ダウンロードした楽曲」**の方が、集中して聴きとることができるので望ましいです（映像は映像で、プロの演奏を目から学びとるという別の観点ではオススメです）。

耳コピをするときはイヤホンやヘッドホンを使い、音量は控え目にして耳に神経を集中させましょう。

□ 著者

東いづみ　Higashi izumi

「いろは音楽教室」主催。
教室運営の傍ら、編集者&ライターとしても活動中。

■楽曲アレンジ
P.73　尾形夏希

初中級者のための　**苦手意識がなくなるピアノ上達練習法**　定価(本体1400円+税)

編著者——東いづみ(ひがしいづみ)
編集者——大塚信行
表紙デザイン——オングラフィクス
発行日——2023年12月30日
編集人——真崎利夫
発行人——竹村欣治
発売元——株式会社自由現代社
〒171-0033　東京都豊島区高田3-10-10-5F
TEL03-5291-6221/FAX03-5291-2886
振替口座　00110-5-45925

ホームページ——http://www.j-gendai.co.jp

ISBN978-4-7982-2643-9